CHRISTIAN BOURGOIS ÉDITEUR
12, avenue d'Italie - PARIS XIIIe

Du même auteur
dans la collection 10/18

LE BLEU DU CIEL, n° 465.
LES LARMES D'ÉROS, n° 1264.
MA MÈRE, n° 739.
LA NÉGRESSE MUETTE, n° 701.

MADAME EDWARDA
LE MORT
HISTOIRE DE L'ŒIL

PAR

GEORGES BATAILLE

10|18

*Anne à Victoria
NYC
le 15 Nov. 1992
Bonne lecture
querida mía.*

JEAN-JACQUES PAUVERT

NOTE DE L'EDITEUR

« Que le livre le plus incongru soit finalement le plus beau livre, et peut-être le plus tendre, cela est alors tout à fait scandaleux. »

Maurice Blanchot.

C'est sous le pseudonyme de Pierre Angélique que Georges Bataille avait publié Madame Edwarda en 1941 et 1945, dans des éditions clandestines tirées chacune à une cinquantaine

*d'exemplaires. C'est sous ce même pseudo-
nyme qu'il nous confia, en 1956, la première
édition en librairie, ne consentant à signer de
son nom que la préface. Georges Bataille était
encore à l'époque conservateur de la biblio-
thèque d'Orléans, et son statut de fonction-
naire lui paraissait, à juste titre, peu compa-
tible avec d'éventuelles poursuites pour « ou-
trages aux bonnes mœurs par la voie du livre ».*

*Dix ans ont passé. Georges Bataille est mort,
et les quinze cents exemplaires de* Madame
Edwarda *ont fini par trouver, l'un après l'autre,
leur destinataire. Rien ne s'oppose plus à ce
que figure en tête de ce petit livre le véritable
nom d'un auteur dont l'influence ne cesse de
s'étendre.*

*En même temps que cette réédition, mais
séparément, nous présentons une œuvre iné-
dite :* Ma Mère*, *qui dans l'idée de Georges
Bataille devait figurer, à la suite de* Madame
Edwarda, *dans un volume qui aurait contenu
également deux autres textes :* Charlotte
d'Ingerville *et* Paradoxe sur l'érotisme.

J.-J. PAUVERT

---

*   Collection 10/18, 1973.

PREFACE

La mort est ce qu'il y a de
plus terrible et maintenir l'œuvre de la mort est ce qui demande la plus grande force.

HEGEL.

*L'auteur de Madame Edwarda a lui-même
attiré l'attention sur la gravité de son livre.
Néanmoins, il me semble bon d'insister, en
raison de légèreté avec laquelle il est d'usage
de traiter les écrits dont la vie sexuelle est le*

*thème. Non que j'aie l'espoir — ou l'intention —
d'y rien changer. Mais je demande au lecteur
de ma préface de réfléchir un court instant sur
l'attitude traditionnelle à l'égard du plaisir
(qui, dans le jeu des sexes, atteint la folle intensité) et de la douleur (que la mort apaise, il est
vrai, mais que d'abord elle porte au pire). Un
ensemble de conditions nous conduit à nous
faire de l'homme (de l'humanité) ? une image
également éloignée du plaisir extrême et de
l'extrême douleur : les interdits les plus com-
muns frappent les uns la vie sexuelle et les
autres la mort, si bien que l'une et l'autre ont
formé un domaine sacré, qui relève de la reli-
gion. Le plus pénible commença lorsque les
interdits touchant les circonstances de la disparition de l'être reçurent seuls un aspect grave
et que ceux qui touchaient les circonstances
de l'apparition — toute l'activité génétique —
ont été pris à la légère. Je ne songe pas à pro-
tester contre la tendance profonde du grand
nombre : elle est l'expression du destin qui
voulut l'homme riant de ses organes reproduc-
teurs. Mais ce rire, qui accuse l'opposition du
plaisir et de la douleur (la douleur et la mort
sont dignes de respect, tandis que le plaisir est
dérisoire, désigné au mépris), en marque aussi
la parenté fondamentale. Le rire n'est plus res-
pectueux, mais c'est le signe de l'horreur. Le
rire est l'attitude de compromis qu'adopte
l'homme en présence d'un aspect qui répugne,*

*quand cet aspect ne paraît pas grave. Aussi bien
l'érotisme envisagé gravement, tragiquement,
représente un entier renversement.*

*Je tiens d'abord à préciser à quel point sont
vaines ces affirmations banales, selon lesquelles
l'interdit sexuel est un préjugé, dont il est
temps de se défaire. La honte, la pudeur, qui
accompagnent le sentiment fort du plaisir, ne
seraient elles-mêmes que des preuves d'inintel-
ligence. Autant dire que nous devrions faire
table rase et revenir au temps de l'animalité,
de la libre dévoration et de l'indifférence aux
immondices. Comme si l'humanité entière ne
résultait pas de grands et violents mouvements
d'horreur suivie d'attrait, auxquels se lient la
sensibilité et l'intelligence. Mais sans vouloir
rien opposer au rire dont l'indécence est la
cause, il nous est loisible de revenir — en partie — sur une vue que le rire seul introduisit.*

*C'est le rire en effet qui justifie une forme
de condamnation déshonorante. Le rire nous
engage dans cette voie où le principe d'une
interdiction, de décences nécessaires, inévi-
tables, se change en hypocrisie fermée, en in-
compréhension de ce qui est en jeu. L'extrême
licence liée à la plaisanterie s'accompagne
d'un refus de prendre au sérieux — j'entends :
au tragique — la vérité de l'érotisme.*

La préface de ce petit livre où l'érotisme est représenté, sans détour, ouvrant sur la conscience d'une déchirure, est pour moi l'occasion d'un appel que je veux pathétique. Non qu'il soit à mes yeux surprenant que l'esprit se détourne de lui-même et, pour ainsi dire se tournant le dos, devienne dans son obstination la caricature de sa vérité. Si l'homme a besoin du mensonge, après tout, libre à lui ! L'homme, qui, peut-être, a sa fierté, est noyé par la masse humaine... Mais enfin : je n'oublierai jamais ce qui se lie de violent et de merveilleux à la volonté d'ouvrir les yeux, de voir en face ce qui arrive, ce qui est. Et je ne saurais pas ce qui arrive, si je ne savais rien du plaisir extrême, si je ne savais rien de l'extrême douleur !

Entendons-nous. Pierre Angélique a soin de le dire : nous ne savons rien et nous sommes dans le fond de la nuit. Mais au moins pouvons-nous voir ce qui nous trompe, ce qui nous détourne de savoir notre détresse, de savoir, plus exactement, que la joie est le même chose que la douleur, la même chose que la mort.

Ce dont ce grand rire nous détourne, que suscite la plaisanterie licencieuse, est l'identité du plaisir extrême et de l'extrême douleur : l'identité de l'être et de la mort, du savoir s'achevant sur cette perspective éclatante et de l'obscurité définitive. De cette vérité, sans doute, nous pourrons finalement rire, mais cette fois d'un rire absolu, qui ne s'arrête pas

*au mépris de ce qui peut être répugnant, mais
dont le dégoût nous enfonce.*

Pour aller au bout de l'extase où nous nous
perdons dans la jouissance, nous devons toujours en poser l'immédiate limite : c'est l'horreur. Non seulement la douleur des autres ou la
mienne propre, approchant du moment où
l'horreur me soulèvera, peut me faire parvenir
à l'état de joie glissant au délire, mais il n'est
pas de forme de répugnance dont je ne discerne
l'affinité avec le désir. Non que l'horreur se
confonde jamais avec l'attrait, mais si elle ne
peut l'inhiber, le détruire, l'horreur renforce
l'attrait ! Le danger paralyse, mais moins fort,
il peut exciter le désir. Nous ne parvenons à
l'extase, sinon, fût-elle lointaine, dans la perspective de la mort, de ce qui nous détruit.

Un homme diffère d'un animal en ce que
certaines sensations le blessent et le liquident
au plus intime. Ces sensations varient suivant
l'individu et suivant les manières de vivre. Mais
la vue du sang, l'odeur du vomi, qui suscitent
en nous l'horreur de la mort, nous font parfois
connaître un état de nausée qui nous atteint
plus cruellement que la douleur. Nous ne sup-
portons pas ces sensations liées au vertige
suprême. Certains préfèrent la mort au contact
inoffensif. Il existe un domaine où la mort ne
signifie plus seulement la disparition, mais le

*mouvement intolérable où nous disparaissons
malgré nous, alors qu'*à tout prix, *il ne faudrait
pas disparaître. C'est justement cet* à tout prix,
ce *malgré nous, qui distinguent le moment de
l'extrême joie et de l'extase innommable mais
merveilleuse. S'il n'est rien qui ne nous dépasse,
qui ne nous dépasse* malgré nous, *devant* à tout
prix *ne pas être, nous n'atteignons pas le moment* insensé *auquel nous tendons de toutes
nos forces et qu'en même temps nous repous-
sons de toutes nos forces.*

*Le plaisir serait méprisable s'il n'était ce
dépassement atterrant, qui n'est pas réservé à
l'extase sexuelle, que les mystiques de diffé-
rentes religions, qu'avant tout les mystiques
chrétiens ont connu de la même façon. L'être
nous est donné dans un dépassement* intolérable *de l'être, non moins intolérable que la
mort. Et puisque, dans la mort, en même
temps qu'il nous est donné, il nous est retiré,
nous devons le chercher dans le sentiment de
la mort, dans ces moments intolérables où il
nous semble que nous mourons, parce que
l'être en nous n'est plus là que par excès,
quand la plénitude de l'horreur et celle de la
joie coïncident.*
*Même la pensée (la réflexion) ne s'achève
en nous que dans l'excès. Que signifie la vérité,
en dehors de la représentation de l'excès, si*

nous ne voyons ce qui excède la possibilité de voir, ce qu'il est intolérable de voir, comme, dans l'extase, il est intolérable de jouir ? si nous ne pensons ce qui excède la possibilité de penser...[1] ?

A l'issue de cette réflexion pathétique, qui, dans un cri, s'anéantit elle-même en ce qu'elle sombre dans l'intolérance d'elle-même, nous retrouvons Dieu. C'est le sens, c'est l'énormité, de ce livre insensé : ce récit met en jeu dans la plénitude de ses attributs, Dieu lui-même; et ce Dieu, néanmoins, est une fille publique, en tout pareille aux autres. Mais ce que le mysticisme n'a pu dire (au moment de le dire, il défaillait), l'érotisme le dit : Dieu n'est rien s'il n'est pas dépassement de Dieu dans tous les sens; dans le sens de l'être vulgaire, dans celui de l'horreur et de l'impureté; à la fin, dans le sens de rien... Nous ne pouvons ajouter au langage impunément le mot qui dépasse les mots, le mot Dieu; dès l'instant où nous le faisons, ce mot se dépassant lui-même détruit vertigineusement ses limites. Ce qu'il est ne recule devant rien, il est partout où il est impossible de l'attendre : lui-même est une énormité. Quiconque en a le plus petit soupçon, se tait aussitôt. Ou, cherchant l'issue, et sachant qu'il s'enferre, il cherche en lui ce qui, pouvant l'anéantir, le rend semblable à rien[2].

Dans cette inénarrable voie où nous engage le plus incongru de tous les livres, il se peut cependant que nous fassions quelques découvertes encore.

Par exemple, au hasard, celle du bonheur...

La joie se trouverait justement dans la perspective de la mort (ainsi est-elle masquée sous l'aspect de son contraire, la tristesse).

Je ne suis en rien porté à penser que l'essentiel en ce monde est la volupté. L'homme n'est pas limité à l'organe de la jouissance. Mais cet inavouable organe lui enseigne son secret[3]. Puisque la jouissance dépend de la perspective délétère ouverte à l'esprit, il est probable que nous tricherons et que nous tenterons d'accéder à la joie tout en nous approchant le moins possible de l'horreur. Les images qui excitent le désir ou provoquent le spasme final sont extraordinairement louches, équivoques : si c'est l'horreur, si c'est la mort qu'elles ont en vue, c'est toujours d'une manière sournoise. Même dans la perspective de Sade, la mort est détournée sur l'autre, et l'autre est tout d'abord une expression délicieuse de la vie. Le domaine de l'érotisme est voué sans échappatoire à la ruse. L'objet qui provoque le mouvement d'Eros se donne pour autre qu'il n'est. Si bien qu'en matière d'érotisme, ce sont les ascètes qui ont raison. Les ascètes disent de la beauté qu'elle est le piège du diable : la beauté seule, en effet, rend tolérable un besoin de désordre, de violence et d'indignité qui est la racine de l'amour. Je ne puis examiner ici le détail de délires dont les formes se multiplient et dont l'amour pur nous fait connaître sournoisement le plus violent, qui porte aux limites de la mort l'excès aveugle de la vie. Sans doute la condamnation ascétique est grossière, elle est lâche, elle est cruelle, mais elle s'accorde au tremblement sans lequel nous nous éloignons de la vérité de la nuit. Il n'est pas de raison de donner à l'amour sexuel une éminence que seule a la vie tout entière, mais si nous ne portions la lumière au point même où la nuit tombe, comment nous saurions-nous, comme nous le sommes, faits de la projection de l'être dans l'horreur ? s'il sombre dans le vide nauséeux qu'à tout prix il devait fuir... ?

Rien, assurément, n'est plus redoutable ! A quel point les images de l'enfer aux porches des églises devraient nous sembler dérisoires ! L'enfer est l'idée faible que Dieu nous donne volontairement de lui-même ! Mais à l'échelle de la perte illimitée, nous retrouvons le triomphe de l'être — auquel il ne manqua jamais que de s'accorder au mouvement qui le veut périssable. L'être s'invite lui-même à la terrible danse, dont la syncope est le rythme danseur, et que nous devons prendre comme elle est, sachant seulement l'horreur à laquelle

*elle s'accorde. Si le cœur nous manque, il n'est
rien de plus suppliciant. Et jamais le moment
suppliciant ne manquera : comment, s'il nous
manquait, le surmonter ? Mais l'être ouvert —
à la mort, au supplice, à la joie — sans réserve,
l'être ouvert et mourant, douloureux et heureux, paraît déjà dans sa lumière voilée : cette
lumière est divine. Et le cri que, la bouche tor-
due, cet être tord peut-être mais profère, est
un immense alleluia, perdu dans le silence sans
fin.*

Georges BATAILLE

NOTES
DE LA PREFACE

1. Je m'excuse d'ajouter ici que cette définition de l'être et de l'excès ne peut philosophiquement se fonder, en ce que l'excès excède le fondement : l'excès est cela même par quoi l'être est d'abord, avant toutes choses, hors de toutes limites. L'être sans doute se trouve aussi dans des limites : ces limites nous permettent de parler (je parle aussi, mais en parlant je n'oublie pas que la parole, non seulement m'échappera, mais qu'elle m'échappe). Ces

phrases méthodiquement rangées sont possibles (elles le sont dans une large mesure, puisque l'excès est l'exception, c'est le merveilleux,
le miracle...; et l'excès désigne l'attrait — l'attrait, sinon l'horreur, *tout ce qui est plus ce
qui est*, mais leur impossibilité est d'abord
donnée. Si bien que jamais je ne suis lié; jamais
je ne m'asservis, mais je réserve ma souverai-
neté, que seule ma mort, qui prouvera l'impossibilité où j'étais de me limiter à l'être sans
excès, sépare de moi. Je ne récuse pas la connaissance, sans laquelle je n'écrirais pas, mais
cette main qui écrit est *mourante* et par cette
mort à elle promise, elle échappe aux limites
acceptées en écrivant (acceptées de la main
qui écrit mais refusées de celle qui meurt).

2. Voici donc la première théologie proposée
par un homme que le rire illumine et qui dai-
gne ne pas limiter *ce qui ne sait pas ce qu'est
la limite*. Marquez le jour où vous lisez d'un
caillou de flamme, vous qui avez pâli sur les
textes des philosophes ! Comment peut s'ex-
primer celui qui les fait taire, sinon d'une
manière qui ne leur est pas concevable ?

3. Je pourrais faire observer, au surplus,
que l'excès est le principe même de la repro-
duction sexuelle : en effet la *divine providence*

voulut que, dans son œuvre, son secret demeu-
rât lisible ! Rien pouvait-il être épargné à
l'homme ? Le jour même où il s'aperçoit que
le sol lui manque, il lui est dit qu'il lui manque,
providentiellement ! Mais tirât-il l'enfant de
son blasphème, c'est en blasphément, crachant
sur sa limite, que le plus misérable jouit, c'est
en blasphémant qu'il est Dieu. Tant il est vrai
que la *création* est inextricable, irréductible à
un autre mouvement d'esprit qu'à la certitude,
étant excédé, d'excéder.

MADAME EDWARDA

*Si tu as peur de tout, lis ce livre, mais d'abord,
écoute-moi : si tu ris, c'est que tu as peur. Un
livre, il te semble, est chose inerte. C'est
possible. Et pourtant, si, comme il arrive, tu
ne sais pas lire ? devrais-tu redouter... ? Es-tu
seul ? as-tu froid ? sais-tu jusqu'à quel point
l'homme est « toi-même » ? imbécile ? et nu ?*

MON ANGOISSE EST ENFIN L'ABSO-
LUE SOUVERAINE. MA SOUVERAINETE
MORTE EST A LA RUE.
INSAISISSABLE — AUTOUR D'ELLE UN
SILENCE DE TOMBE — TAPIE DANS
L'ATTENTE D'UN TERRIBLE — ET POUR-
TANT SA TRISTESSE SE RIT DE TOUT.

Au coin d'une rue, l'angoisse, une angoisse sale et grisante, me décomposa (peut-être d'avoir vu deux filles furtives dans l'escalier d'un lavabo). A ces moments, l'envie de me vomir me vient. Il me faudrait me mettre nu, ou mettre nues les filles que je convoite : la tiédeur de chairs fades me soulagerait. Mais j'eus recours au plus pauvre moyen : je demandai, au comptoir, un pernod que j'avalai; je poursuivis de zinc en zinc, jusqu'à...

La nuit achevait de tomber.

Je commençai d'errer dans ces rues propices qui vont du carrefour Poissonnière à la rue Saint-Denis. La solitude et l'obscurité ache-

vèrent mon ivresse. La nuit était nue dans des
rue désertes et je voulus me dénuder comme
elle : je retirai mon pantalon que je mis sur
mon bras; j'aurais voulu lier la fraîcheur de la
nuit dans mes jambes, une étourdissante
liberté me portait. Je me sentais grandi. Je
tenais dans la main mon sexe droit.

(Mon entrée en matière est dure. J'aurai pu
l'éviter et rester « vraisemblable ». J'avais
intérêt aux détours. Mais il en est ainsi, le
commencement est sans détour. Je continue...
plus dur...)

Inquiet de quelque bruit, je remis ma culotte
et me dirigeai vers les Glaces : J'y retrouvai la
lumière. Au milieu d'un essaim de filles,
Madame Edwarda, nue, tirait la langue. Elle
était, à mon goût, ravissante. Je la choisis : elle
s'assit près de moi. A peine ai-je pris le temps
de répondre au garçon : je saisis Edwarda qui
s'abandonna : nos deux bouches se mêlèrent
en un baiser malade. La salle était bondée
d'hommes et de femmes et tel fut le désert où
le jeu se prolongea. Un instant sa main glissa,
je me brisai soudainement comme une vitre,
et je tremblai dans ma culotte; je sentis
Madame Edwarda, dont mes mains contenaient
les fesses, elle-même en même temps déchirée :
et dans ses yeux plus grands, renversés, la terreur, dans sa gorge un long étranglement.

Je me rappelai que j'avais désiré d'être
infâme ou, plutôt, qu'il aurait fallu, à toute
force, que cela fût. Je devinai des rires à travers le tumulte des voix, les lumières, la fumée.
Mais rien ne comptait plus. Je serrai Edwarda
dans mes bras, elle me sourit : aussitôt, transi,
je ressentis en moi un nouveau choc, une sorte
de silence tomba sur moi de haut et me glaça.
J'étais élevé dans un vol d'anges qui n'avaient
ni corps ni têtes, faits de glissements d'ailes,
mais c'était simple : je devins malheureux et
me sentis abandonné comme on l'est en présence de DIEU. C'était pire et plus fou que
l'ivresse. Et d'abord je sentis une tristesse à
l'idée que cette grandeur, qui tombait sur moi,
me dérobait les plaisirs que je comptais goûter
avec Edwarda.

Je me trouvai absurde : Edwarda et moi
n'avions pas échangé deux mots. J'éprouvai un
instant de grand malaise. Je n'aurais rien pu dire
de mon état : dans le tumulte et les lumières,
la nuit tombait sur moi ! Je voulus bousculer
la table, renverser tout : la table était scellée,
fixée au sol. Un homme ne peut rien supporter
de plus comique. Tout avait disparu, la salle et
Madame Edwarda. La nuit seule...

De mon hébétude, une voix, trop humaine,

me tira. La voix de Madame Edwarda, comme
son corps gracile, était obscène :

— Tu veux voir mes guenilles ? disait-elle.

Les deux mains agrippées à la table, je me
tournai vers elle. Assise, elle maintenait haute
une jambe écartée : pour mieux ouvrir la fente,
elle achevait de tirer la peau des deux mains.
Ainsi les « guenilles » d'Edwarda me regardaient, velues et roses, pleines de vie comme
une pieuvre répugnante. Je balbutiai doucement :

— Pourquoi fais-tu cela ?

— Tu vois, dit-elle, je suis DIEU...

— Je suis fou...

— Mais non, tu dois regarder : regarde !

Sa voix rauque s'adoucit, elle se fit presque
enfantine pour me dire avec lassitude, avec le
sourire infini de l'abandon : « Comme j'ai
joui ! »

Mais elle avait maintenu sa position provocante. Elle ordonna :

— Embrasse !

— Mais... protestai-je, devant les autres ?

— Bien sûr !

Je tremblais : je la regardais, immobile, elle
me souriait si doucement que je tremblais. Enfin, je m'agenouilla, je titubai, et je posai mes
lèvres sur la plaie vive. Sa cuisse nue caressa
mon oreille : il me sembla entendre un bruit

de houle, on entend le même bruit en appli-
quant l'oreille à de grandes coquilles. Dans
l'absurdité du bordel et dans la confusion qui
m'entourait (il me semble avoir étouffé, j'étais
rouge, je suais), je restai suspendu étrangement,
comme si Edwarda et moi nous étions perdus
dans une nuit de vent devant la mer.

J'entendis une autre voix, venant d'une forte
et belle femme, honorablement vêtue :
— Mes enfants, prononça la voix hommasse,
il faut monter.

La sous-maîtresse prit mon argent, je me
levai et suivis Madame Edwarda dont la nudité
tranquille traversa la salle. Mais le simple
passage au milieu des tables bondées de filles
et de clients, ce rire grossier de la « dame qui
monte », suivie de l'homme qui lui fera
l'amour, ne fut à ce moment pour moi qu'une
hallucinante solennité : les talons de Madame
Edwarda sur le sol carrelé, le déhanchement
de ce long corps obscène, l'âcre odeur de
femme qui jouit, humée par moi, de ce corps
blanc... Madame Edwarda s'en allait devant
moi... dans les nuées. L'indifférence tumul-
tueuse de la salle à son bonheur, à la gravité
mesurée de ses pas, était consécration royale
et fête fleurie : la mort elle-même était de la
fête, en ceci que la nudité du bordel appelle
le couteau du boucher.

....
....
....
....
....
....
....
....
....

. . . .
. . . .
. . . . les glaces
qui tapissaient les murs, et dont le plafond lui-
même était fait, multipliaient l'image animale
d'un accouplement : au plus léger mouvement,
nos cœurs rompus s'ouvraient au vide où nous
perdait l'infinité de nos reflets.

Le plaisir, à la fin, nous chavira. Nous nous
levâmes et nous nous regardâmes gravement.
Madame Edwarda me fascinait, je n'avais jamais
vu de fille plus jolie — ni plus nue. Sans me
quitter des yeux, elle prit dans un tiroir des bas
de soie blanche : elle s'assit sur le lit et les passa.

Le délire d'être nue la possédait : cette fois encore, elle écarta les jambes et s'ouvrit; l'âcre nudité de nos deux corps nous jetait dans le même épuisement du cœur. Elle passa un boléro blanc, dissimula sous un domino sa nudité : le capuchon du domino lui couvrait la tête, un loup à barbe de dentelles lui masqua le visage. Ainsi vêtue, elle m'échappa et dit :

— Sortons !

— Mais... Tu peux sortir ? lui demandai-je.

— Vite, fifi, répliqua-t-elle gaiement, tu ne peux pas sortir nu !

Elle me tendit mes vêtements, m'aidant à m'habiller, mais, le faisant, son caprice maintenant parfois, de sa chair à la mienne, un échange sournois. Nous descendîmes un escalier étroit, où nous rencontrâmes une soubrette. Dans l'obscurité soudaine de la rue, je m'étonnai de trouver Edwarda fuyante, drapée de noir. Elle se hâtait, méchappant : le loup qui la masquait la faisait animale. Il ne faisait pas froid, pourtant je frissonnai. Edwarda étrangère, un ciel étoilé, vide et fou, sur nos têtes : je pensai vaciller mais je marchai.

A cette heure de la nuit, la rue était déserte. Tout à coup, mauvaise et sans dire un mot, Edwarda courut seule. La porte Saint-Denis était devant elle : elle s'arrêta. Je n'avais pas bougé : immobile comme moi, Edwarda attendait sous la porte, au milieu de l'arche. Elle était noire, entièrement, simple, angoissante comme un trou : je compris qu'elle ne riait pas et même, exactement, que, sous le vêtement qui la voilait, elle était maintenant absente. Je sus alors — toute ivresse en moi dissipée — qu'Elle n'avait pas menti, qu'Elle était DIEU. Sa présence avait la simplicité inintelligible d'une pierre : en pleine ville, j'avais le sentiment d'être la nuit dans la montagne, au milieu de solitudes sans vie.

Je me sentis libéré d'Elle — j'étais seul devant cette pierre noire. Je tremblais, devinant devant moi ce que le monde a de plus désert. En aucune mesure, l'horreur comique de ma situation ne m'échappait : celle dont l'aspect, à présent, me glaçait, l'instant d'avant... Le changement s'était fait comme on glisse. En Madame Edwarda, le deuil — un deuil sans douleur et sans larme — avait fait passer un silence vide. Et pourtant, je voulus savoir : cette femme, à l'instant si nue, qui gaiement m'appelait « fifi »... Je traversai, mon angoisse me disait de m'arrêter, mais j'avançai.

Elle glissa, muette, reculant vers le pilier de gauche. J'étais à deux pas de cette porte monumentale : quand je pénétrai sous l'arche de pierre, le domino disparut sans bruit. J'écoutai, ne respirant plus. Je m'étonnai de si bien saisir : j'avais su, quand elle courut, qu'à toute force elle devait courir, se précipiter sous la porte; quand elle s'arrêta, qu'elle était suspendue dans une sorte d'absence, loin au-delà de rires possibles. Je ne la voyais plus : une obscurité de mort tombait des voûtes. Sans y avoir un instant songé, je « savais » qu'un temps d'agonie commençait. J'acceptais, je désirais de souffrir, d'aller plus loin, d'aller, dussé-je être abattu, jusqu'au « vide » même. Je connaissais, je voulais connaître, avide de son secret, sans douter un instant que la mort régnât en elle.

Gémissant sous la voûte, j'étais terrifié, je riais :

— Seul des hommes à passer le néant de cette arche !

Je tremblais à l'idée qu'elle pouvait fuir, à jamais disparaître. Je tremblais l'acceptant, mais de l'imaginer, je devins fou : je me précipitai, contournant le pilier. Je fis le tour aussi vite du pilier de droite : elle avait disparu, mais je n'y pouvais croire. Je demeurais accablé devant la porte et j'entrais dans le désespoir quand j'aperçus, de l'autre côté du boulevard, immobile, le domino qui se perdait dans l'ombre : Edwarda se tenait debout, toujours sensiblement absente, devant une terrasse rangée. J'allai vers elle : elle semblait folle, évidemment venue d'un autre monde et, dans les rues, moins qu'un fantôme, un brouillard attardé. Elle recula doucement devant moi, jusqu'à heurter une table de la terrasse vide.

Comme si je l'éveillais, elle prononça d'une voix sans vie :

— Où suis-je ?

Désespéré, je lui montrai sur nous le ciel vide. Elle regarda : un instant, elle resta, sous le masque, les yeux vagues, perdus dans des champs d'étoiles. Je la soutenais : maladivement ses deux mains tenaient le domino fermé devant elle. Elle commença de se tordre

convulsivement. Elle souffrait, je crus qu'elle
pleurait, mais ce fut comme si le monde et
l'angoisse en elle étouffaient, sans pouvoir
fondre en sanglots. Elle me quitta saisie d'un
obscur dégoût, me repoussant : soudain
démente, elle se précipita, s'arrêta net, fit
voler l'étoffe du domino, montra ses fesses,
prenant d'un coup de cul la posture, puis elle
revint se jeta sur moi. Un vent de sauvagerie
la soulevait : elle me frappa rageusement au
visage, elle frappa poings fermés, dans un mouvement insensé de bagarre. Je trébuchai et je
tombai, elle s'enfuit en courant.

Je n'étais pas entièrement relevé, j'étais à
genoux, qu'elle se retourna. Elle vociféra d'une
voix éraillée, impossible, elle criait au ciel et
ses bras battaient l'air d'horreur :
— J'étouffe, hurla-t-elle, mais toi, peau de
curé, JE T'EMMERDE...
La voix acheva de se casser en une sorte de
râle, elle étendit les mains pour étrangler et
s'effondra.

Comme un tronçon de ver de terre, elle
s'agita, prise de spasmes respiratoires. Je me
penchai sur elle et dus tirer la dentelle du loup
qu'elle avalait et déchirait dans ses dents. Le
désordre de ses mouvements l'avait dénudée

jusqu'à la toison : sa nudité, maintenant, avait
l'absence de sens, en même temps l'excès de
sens d'un vêtement de morte. Le plus étrange —
et le plus angoissant — était le silence où
Madame Edwarda demeurait fermée : de sa
souffrance, il n'était plus de communication
possible et je m'absorbai dans cette absence
d'issue — dans cette nuit du cœur qui n'était
ni moins déserte, ni moins hostile que le ciel
vide. Les sauts de poisson de son corps, la
rage ignoble exprimée par son visage mauvais,
calcinaient la vie en moi et la brisaient jusqu'au
dégoût.

(Je m'explique : il est vain de faire part à
l'ironie quand je dis de Madame Edwarda
qu'elle est DIEU. Mais que DIEU soit une
prostituée de maison close et une folle, ceci
n'a pas de sens en raison. A la rigueur, je suis
heureux qu'on ait à rire de ma tristesse : seul
m'entend celui dont le cœur blessé d'une incu-
rable blessure, telle que jamais nul n'en voulut
guérir...; et quel homme, blessé, accepterait de
« mourir » d'une blessure autre que celle-là ?)

La conscience d'un irrémadiable, alors que, dans cette nuit, j'étais agenouillé près d'Edwarda, n'était ni moins claire ni moins glaçante qu'à l'heure où j'écris. Sa souffrance était en moi comme la vérité d'une flèche : on sait qu'elle entre dans la cœur, mais avec la mort : dans l'attente du néant, ce qui subsiste a le sens des scories auxquelles ma vie s'attarde en vain. Devant un silence si noir, il y eut dans mon désespoir un saut; les contorsions d'Edwarda m'arrachaient à moi-même et me jetaient dans un au-delà noir, impitoyablement comme on livre au bourreau le condamné.

Celui qu'on destine au supplice, quand, après

l'interminable attente, il arrive au grand jour
au lieu même où l'horreur s'accomplira, ob-
serve les préparatifs; à se rompre le cœur lui
bat : dans son horizon rétréci, chaque objet,
chaque visage revêtent un sens lourd et contri-
buent à resserrer l'étau auquel il n'est plus
temps d'échapper. Quand je vis Madame
Edwarda se tordre à terre, j'entrai dans un état
d'absorption comparable, mais le changement
qui se fit en moi ne m'enfermait pas : l'horizon
devant lequel le malheur d'Edwarda me plaçait
était fuyant, tel l'objet d'une angoisse; déchiré
et décomposé, j'éprouvais un mouvement de
puissance, à la condition, devenant mauvais,
de me haïr moi-même. Le glissement verti-
gineux qui me perdait m'avait ouvert un
champ d'indifférence; il n'était plus question
de souci, de désir : l'extase desséchante de la
fièvre, à ce point, naissait de l'entière impossibilité d'arrêt.

(Il est décevant, s'il me faut ici me dénuder,
de jouer des mots, d'emprunter la lenteur des
phrases. Si personne ne réduit à la nudité ce
que je dis, retirant le vêtement et la forme,
j'écris en vain. (Aussi bien, je le sais déjà, mon
effort est désespéré : l'éclair qui m'éblouit —
et qui me foudroie — n'aura sans doute rendu
aveugles que mes yeux.) Cependant Madame
Edwarda n'est pas le fantôme d'un rêve, ses

sueurs ont trempé mon mouchoir : à ce point
où, conduit par elle, je parvins, à mon tour, je
voudrais conduire. Ce livre a son secret, je dois
le taire : il est plus loin que tous les mots.)

La crise à la fin s'apaisa. Un peu de temps,
la convulsion continua, mais elle n'avait plus
tant de rage : le souffle lui revint, ses traits se
détendirent, cessèrent d'être hideux. A bout
de forces, un court instant, je m'allongeai sur
la chaussée le long d'elle. Je la couvris de mon
vêtement. Elle n'était pas lourde et je décidai
de la porter : sur le boulevard la station de taxis
était proche. Elle demeura inerte dans mes bras.
Le trajet demanda du temps, je dus m'arrêter
trois fois; cependant, elle revint à la vie et,
quand nous arrivâmes, elle voulut se tenir
debout : elle fit un pas et vacilla. Je la soutins,
elle monta, soutenue, dans la voiture.

Elle dit faiblement :

— ... pas encore... qu'il attende...

Je demandai au chauffeur de ne pas bouger,
hors de moi de fatigue, je montai et me laisser
tomber près d'Edwarda.

Nous restâmes longtemps en silence.
Madame Edwarda, le chauffeur et moi, immobiles à nos places, comme si la voiture roulait.

Edwarda me dit à la fin :

— Qu'il aille aux Halles !

Je parlai au chauffeur qui mit en marche.

Il nous mena dans des rues sombres. Calme et lente, Edwarda dénoua les liens de son domino qui glissa, elle n'avait plus de loup; elle retira son boléro et dit pour elle-même à voix basse :

— Nue comme une bête.

Elle arrêta la voiture en frappant la vitre et descendit. Elle approcha jusqu'à le toucher le chauffeur et lui dit :

— Tu vois... je suis à poil... viens.

Le chauffeur immobile regarda la bête : s'écartant elle avait levé haut la jambe, voulant qu'il vît la fente. Sans mot dire et sans hâte, cet homme descendit du siège. Il était solide et grossier. Edwarda l'enlaça, lui prit la bouche et fouilla la culotte d'une main. Elle fit tomber le pantalon le long des jambes et lui dit :

— Viens dans la voiture.

Il vint s'asseoir auprès de moi. Le suivant, elle monta sur lui, voluptueuse, elle glissa de sa main le chauffeur en elle. Je demeurai inerte, regardant; elle eut des mouvements lents et sournois d'où, visiblement, elle tirait le plaisir suraigu. L'autre lui répondait. il se donnait de tout son corps brutalement : née de l'intimité, mise à nu, de ces deux êtres, peu à peu, leur étreinte en venait au point d'excès où le cœur manque. Le chauffeur était renversé dans un halètement. J'allumai la lampe intérieure de la

voiture. Edwarda, droite, à cheval sur le tra-
vailleur, la tête en arrière, sa chevelure pendait.
Lui soutenant la nuque, je lui vis les yeux
blancs. Elle se tendit sur la main qui la portait
et la tension accrut son râle. Ses yeux se réta-
blirent, un instant même, elle parut s'apaiser.
Elle me vit : de son regard, à ce moment-là, je
sus qu'il revenait de l'impossible et je vis, au
fond d'elle, une fixité vertigineuse. A la racine,
la crue qui l'inonda rejaillit dans ses larmes :
les larmes ruisselèrent des yeux. L'amour, dans
ces yeux, était mort, un froid d'aurore en éma-
nait, une transparence où je lisais la mort. Et
tout était noué dans ce regard de rêve : les
corps nus, les doigts qui ouvraient la chair, mon
angoisse et le souvenir de la bave aux lèvres, il
n'était rien qui ne contribuât à ce glissement
aveugle dans la mort.

La jouissance d'Edwarda — fontaine d'eaux
vives — coulant en elle à fendre le cœur — se
prolongeait de manière insolite : le flot de volupté n'arrêtait pas de glorifier son être, de
faire sa nudité plus nue, son impudeur plus
honteuse. Le corps, le visage extasiés, aban-
donnés au roucoulement indicible, elle eut,
dans sa douceur, un sourire brisé : elle me vit
dans le fond de mon aridité; du fond de ma
tristesse, je sentis le torrent de sa joie se libérer.
Mon angoisse s'opposait au plaisir que j'aurais

dû vouloir : le plaisir douloureux d'Edwarda
me donna un sentiment épuisant de miracle.
Ma détresse et ma fièvre me semblaient peu,
mais c'était là ce que j'avais, les seules gran-
deurs en moi qui répondissent à l'extase de
celle que, dans le fond d'un froid silence,
j'appelais « mon cœur ».

De derniers frissons la saisirent, lentement,
puis son corps, demeuré écumant, se détendit :
dans le fond du taxi, le chauffeur, après
l'amour, était vautré. Je n'avais plus cessé de
soutenir Edwarda sous la nuque : le nœud se
dégagea, je l'aidai à s'étendre, essuyai sa sueur.
Les yeux morts, elle se laissait faire. J'avais
éteint : elle s'endormait à demi comme un
enfant. Un même sommeil dut nous appesantir,
Edwarda, le chauffeur et moi.

(Continuer ? je le voulais mais je m'en
moque. L'intérêt n'est pas là. Je dis ce qui
m'oppresse au moment d'écrire : tout serait-il
absurde ? ou y aurait-il un sens ? je me rends
malade d'y penser. Je m'éveille le matin — de
même que des millions — de filles et de garçons,
de bébés, de vieillards — sommeils à jamais
dissipés... Moi-même et ces millions, notre
éveil aurait-il un sens ? Un sens caché ? évidemment caché ! Mais si rien n'a de sens,
j'ai beau faire : je reculerai, m'aidant de super-
cheries. Je devrai lâcher prise et me vendre au

non-sens : pour moi, c'est le bourreau, qui me torture et qui me tue, pas une ombre d'espoir. Mais s'il est un sens ? Je l'ignore aujourd'hui. Demain ? Que sais-je ? Je ne puis concevoir de sens qui ne soit « mon » supplice, quant à cela je le sais bien. Et pour l'instant : non-sens! Monsieur Non-Sens écrit, il comprend qu'il est fou : c'est affreux. Mais sa folie, ce non-sens — comme il est, tout à coup, devenu « sérieux » : — serait-ce là justement « le sens » ? (non, Hegel n'a rien à voir avec l'« apothéose » d'une folle...) Ma vie n'a de sens qu'à la condition que j'en manque; que je sois fou : comprenne qui peut, comprenne qui meurt...; ainsi l'être est là, ne sachant pourquoi, de froid demeuré tremblant...; l'immensité, la nuit l'environnent et, tout exprès, il est là pour... « ne pas savoir ». Mais DIEU ? qu'en dire, messieurs Disert, messieurs Croyant ? — Dieu, du moins, saurait-il ? DIEU, s'il « savait » serait un porc*. Seigneur (j'en appelle, dans ma détresse, à « mon cœur ») délivrez-moi, aveuglez-les ! Le récit, le continuerai-je ?)

J'ai fini.

Du sommeil qui nous laissa, peu de temps, dans le fond du taxi, je me suis éveillé malade, le premier... Le reste est ironie, longue attente de la mort...

NOTE

(*) J'ai dit : « Dieu, s'il « savait », serait un porc. » Celui qui (je suppose qu'il serait, au moment, mal lavé, « décoiffé ») saisirait l'idée jusqu'au bout, mais qu'aurait-il d'humain ? au-delà, et de tout... plus loin, et plus loin... LUI-MEME, en extase au-dessus d'un vide... Et maintenant ? JE TREMBLE.

LE MORT

LORSQUE Edouard retomba mort, un vide se fit en elle, un long frisson la parcourut, qui l'éleva comme un ange. Ses seins nus se dressaient dans une église de rêve où le sentiment de l'irrémédiable l'épuisait. Debout, auprès du mort, absente, au-dessus d'elle-même, en une extase lente, atterrée. Elle se sut désespérée mais elle se jouait de son désespoir. Edouard en mourant l'avait suppliée de se mettre nue.

Elle n'avait pu le faire à temps ! Elle était là, échevelée : seule sa poitrine avait jailli de la robe arrachée.

MARIE RESTE SEULE
AVEC EDOUARD MORT

LE TEMPS venait de nier les lois auxquelles la peur nous assujettit. Elle retira sa robe et mit son manteau sur un bras. Elle était folle et nue. Elle se jeta dehors et courut dans la nuit sous l'averse. Ses souliers claquèrent dans la boue et le pluie ruissela sur elle. Elle eut un gros besoin qu'elle retint. Dans la douceur des bois, Marie s'étendit sur la terre. Elle pissa longuement, l'urine inondait ses jambes. A terre, elle chantonna d'une voix impossible, démente :

... c'est de la nudité
et de l'atrocité...

Ensuite, elle se leva, remit l'imperméable et courut dans Quilly jusqu'à la porte de l'auberge.

MARIE SORT NUE DE LA MAISON

INTERDITE, elle se tint devant la porte, à manquer du courage d'entrer. Elle entendait venant de l'intérieur, des cris, des chants de filles et d'ivrognes. Elle se sentit trembler, mais elle jouissait de son tremblement.

Elle pensa : « j'entrerai, ils me verront nue. » Elle dut s'appuyer sur le mur. Elle ouvrit son manteau et mit ses longs doigts dans la fente. Elle écouta, figée d'angoisse, elle flaira sur ses doigts l'odeur de sexe mal lavé. On braillait dans l'auberge et pourtant le silence se fit. Il pleuvait : dans une obscurité de cave, un vent tiède inclinait la pluie. Une voix de fille chanta une chanson des faubourgs mélancolique. Entendue de la nuit du dehors, la voix grave et voilée par les murs était déchirante. Elle se tut. Des applaudissements et tapements de pieds la suivirent, puis un ban.

Marie sanglotait dans l'ombre. Elle pleurait dans son impuissance, le dessus de la main contre les dents.

MARIE ATTEND
DEVANT L'AUBERGE

SACHANT qu'elle entrerait, Marie trembla.

Elle ouvrit, fit trois pas dans la salle : un courant d'air ferma la porte derrière elle.

Elle se souvint d'avoir rêvé cette porte à jamais claquée sur elle.

Des valets de ferme, la patronne et des filles la dévisagèrent.

Elle se tint immobile à l'entrée; boueuse, les cheveux ruisselants et les regards mauvais. Elle était comme surgie des rafales de la nuit (on entendait le vent dehors). Son manteau la couvrait mais elle en écarta le col.

MARIE ENTRE
DANS LA SALLE DE L'AUBERGE

ELLE demanda d'une voix basse :

— On peut boire ?

La patronne répondit du comptoir :

— Un calva ?

Elle servit un petit verre au comptoir.

Marie n'en voulut pas.

— Je veux une bouteille et de grands verres, dit-elle.

Sa voix toujours basse était ferme.

Elle ajouta :

— Je boirai avec eux.

Elle paya.

Un garçon de ferme aux bottes terreuses dit timidement :

— Vous êtes venue rigoler ?

— C'est ça, dit Marie.

Elle tenta de sourire : le sourire la scia.

Elle prit place à côté du garçon, colla sa jambe à la sienne et lui prenant la main la mit entre les cuisses.

Quand le valet toucha la fente, il gémit :

— Nom de Dieu !

Congestionnés les autres se taisaient.

Une des filles, se levant, écarta un pan du manteau.

— Vise-la, dit-elle, elle est à poil !

Marie se laissa faire et vida vite un verre d'alcool.

— Elle aime le lait, dit la patronne.

Marie eut un renvoi amer.

MARIE BOIT

AVEC LES GARÇONS DE FERME

MARIE dit tristement :

— C'est fait.

Ses cheveux noirs mouillés collaient sur sa figure, en mèches. Elle secoua sa jolie tête, se leva, enleva son manteau.

Un butor qui buvait dans la salle se dirigea vers elle. Il titubait, battant l'air de ses bras. Il brailla :

— A nous les femmes à poil !

La patronne le chargea :

— J'te prends par le tarin...

Elle le prit par le nez qu'elle tordit.

Il brailla :

— Non, par là, dit Marie, c'est meilleur.

Elle aborda l'ivrogne et le déboutonna : elle sortit de la culotte une queue qui bandait mal.

La queue souleva un grand rire.

D'un trait, Marie, hardie comme une bête, avala un second verre.

La patronne, doucement, les yeux comme des phares, lui toucha le derrière à la fente :

— On en mangerait, dit-elle.

Marie emplit son verre encore une fois. L'alcool descendit en gloussant.

Elle lampait comme on meurt. Le verre lui tomba des mains. Son derrière était fade et bien fendu. Sa douceur éclairait la salle.

MARIE SORT LA QUEUE
D'UN IVROGNE

UN des valets se tenait à l'écart, l'air haineux. C'était un homme trop beau, dans de longues bottes, trop neuves de caoutchouc crêpe.

Marie vint à lui la bouteille en main. Elle était grande et congestionnée. Ses jambes vacillaient dans des bas qui flottaient. Le valet prit la bouteille et lampa.

Il cria d'une voix forte, inadmissible :

— Assez !

Calant la bouteille vide d'un coup sur la table.

Marie lui demanda :

— Tu en veux d'autre ?

Il répondit par un sourire : il la traitait comme une conquête.

Il remonta le piano mécanique. Il esquissa, quand il revint, un petit pas de danse, les bras ronds.

Il prit Marie d'une main, ils dansèrent une java obscène.

Marie s'y donna tout entière, écœurée, la tête en arrière.

MARIE DANSE
AVEC PIERROT

LA PATRONNE, tout à coup, se leva, criant :

— Pierrot !

Marie tombait : elle échappa du bras du beau valet qui trébucha.

Le corps mince, qui avait glissé, tomba sur le sol avec un bruit de bête.

— La putain ! dit Pierrot.

Il s'essuya la bouche d'un revers de manche.

La patronne se précipita. Elle s'agenouilla et souleva la tête avec soin : de la salive, ou plutôt de la bave coulait des lèvres.

Une fille apporta une serviette mouillée.

Marie revint à elle en peu de temps. Elle demanda faiblement :

— De l'alcool !

— Donne un verre, dit la patronne à l'une des filles.

On lui donna un verre. Elle but et dit :

— Encore !

La fille emplit le verre. Marie le lui enleva des mains. Elle but comme si le temps lui manquait.

Reposant dans les bras d'une fille et de la patronne, elle leva la tête :

— Encore ! dit-elle.

MARIE TOMBE
IVRE MORTE

LES VALETS, les filles et la patronne entourant Marie attendaient ce qu'elle allait dire.

Marie ne murmura qu'un mot :

— ... l'aube, dit-elle.

Puis sa tête retomba lourdement. Malade, malade...

La patronne demanda :

— Qu'a-t-elle dit ?

Personne ne sut répondre.

MARIE VEUT
PARLER

ALORS la patronne dit au beau Pierrot :

— Suce-la.

— On la met sur une chaise ? dit une fille.

Ils saisirent le corps à plusieurs et calèrent le cul sur la chaise.

Pierrot s'agenouillant, lui fit passer les jambes sur ses épaules.

Le beau gosse eut un sourire de conquête et darda sa langue dans les poils.

Malade, illuminée, Marie semblait heureuse, elle sourit sans ouvrir les yeux.

MARIE EST
SUCEE PAR PIERROT

ELLE se sentit illuminée, glacée, mais vidant sans compter vidant sa vie dans l'égout.

Un désir impuissant maintenait en elle une tension : elle aurait voulu relâcher son ventre. Elle imagina l'effroi des autres. Elle n'était plus séparée d'Edouard.

Le con et le cul nus : l'odeur de cul et de con mouillés libérait son cœur et la langue de Pierrot, qui la mouillait, lui semblait le froid du mort.

Ivre d'alcool et de larmes et ne pleurant pas, elle aspirait ce froid la bouche ouverte : elle attira la tête de la patronne, ouvrant à la carie l'abîme voluptueux de ses lèvres.

MARIE EMBRASSE
LA BOUCHE DE LA PATRONNE

MARIE repoussa la patronne et elle vit, décoiffée, cette tête exorbitée de joie. Le visage de la virago rayonnait de douceur saoule. Elle était saoule aussi, saoule à chanter : il lui vint aux yeux des larmes dévotes.

Regardant ces larmes et ne voyant rien, Marie vivait baignée dans la lumière du mort. Elle dit :

— J'ai soif.

Pierrot suçait à perdre haleine.

La patronne empressée lui donna une bouteille.

Marie but à longs traits et la vida.

MARIE BOIT AU GOULOT

... UNE bousculade, un cri de terreur, un fracas de bouteilles cassées, les cuisses de Marie eurent un battement de grenouille. Les garçons qui criaient se bousculèrent. La patronne assista Marie, l'étendit sur la banquette.

Ses yeux demeuraient vides, extasiés.

Le vent, les rafales, au-dehors, faisaient rage. Dans la nuit, les battants claquaient.

— Ecoutez, dit la patronne.

On entendit un hurlement de vent dans les arbres, long et gémi comme un appel de folle.

La porte à ce moment fut grande ouverte, une bourrasque entra dans la salle.

A l'instant, Marie nue se trouva debout.

Elle cria :

— *Edouard !*

Et l'angoisse fit de sa voix le prolongement de celle du vent.

MARIE JOUIT

DE cette nuit mauvaise, un homme sortit, fermant un parapluie péniblement : sa silhouette de rat se découpa dans l'embrasure de la porte.

— Vite, monsieur le comte ! entrez, dit la patronne. Elle tituba.

Le nain s'avança sans répondre.

— Vous êtes trempé, poursuivit la patronne en fermant la porte.

Le petit homme avait une gravité surprenante, large et bossu, la grosse tête à hauteur d'épaules.

Il salua Marie, puis se tourna vers les valets.

— Bonjour Pierrot, dit-il en lui serrant la main, enlève-moi mon manteau si tu veux.

Pierrot aida le comte à défaire son manteau. Le comte lui pinça la jambe.

Pierrot sourit. Le comte serra les mains aimablement.

— Vous permettez ? demanda-t-il en s'inclinant.

Il prit place à la table de Marie devant elle.

— Donnez des bouteilles, dit le comte.

— J'ai bu, dit une fille, à pisser sur la chaise.

— Buvez à chier, mon enfant...

Il s'arrêta net, se frottant les mains.

Non sans désinvolture.

MARIE RENCONTRE
UN NAIN

MARIE demeurait sans mouvement regardant le comte et la tête lui tournait.

— Verse, dit-elle.

Le comte emplit les verres.

Elle dit encore, très sage :

— Je vais mourir à l'aube...

Le regard bleu d'acier du comte la dévisagea.

Les sourcils blonds montèrent, accusant les rides du front trop large.

Marie leva son verre et dit :

— Bois !

Le comte aussi leva son verre et but : ils avalèrent ensemble d'un coup.

La patronne vint s'asseoir près de Marie.

— J'ai peur, lui dit Marie.

Elle ne quittait pas le comte des yeux.

Elle eut une sorte de hoquet : elle murmura d'une voix de folle à l'oreille de la vieille :

— C'est le fantôme d'Edouard.

— Quel Edouard ? demanda la patronne à voix basse.

— Il est mort, dit Marie de la même voix.

Elle prit la main de l'autre et la mordit.

— Garce, cria la femme mordue. Mais dégageant sa main, elle caressa Marie et lui baisant l'épaule, elle dit au comte :

— Elle est douce quand même.

MARIE VOIT LE FANTOME
D'EDOUARD

LE COMTE à son tour demanda :

— Qui est Edouard ?

— Tu ne sais plus qui tu es, dit Marie.

Sa voix cette fois s'était cassée :

— Fais-le boire, demanda-t-elle à la patronne.

Elle paraissait à bout.

Le comte siffla son verre mais il avoua :

— L'alcool a peu d'effet sur moi.

Le petit homme large à la tête trop forte dévisagea Marie d'un œil morne, comme s'il avait eu l'intention de gêner.

Il dévisageait toutes choses de la même façon, la tête raide entre les épaules.

Il appela :

— Pierrot !

Le valet s'approcha :

— Cette jeune enfant, dit le nain, me fait bander. Tu veux t'asseoir ici ?

Le valet assis, le comte ajouta gaiement :

— Sois gentil, Pierrot, branle-moi. Je n'ose en prier cette enfant...

Il sourit.

— Elle n'a pas comme toi, l'habitude des monstres.

A ce moment, Marie monta sur la banquette.

MARIE MONTE
SUR LA BANQUETTE

— J'AI peur, dit Marie. Tu ressembles à une borne.

Il ne répondit pas. Pierrot lui prit la pine.

Il était impassible en effet comme une borne.

— Va-t'en, lui dit Marie, ou je pisse sur toi...

Elle monta sur la table et s'accroupit.

— Vous m'en verrez ravi, répondit le monstre. Son cou n'avait aucune aisance : s'il parlait, le menton bougeait seul.

Marie pissa.

Vigoureusement Pierrot branlait le comte que l'urine frappait au visage.

Le comte rougit et l'urine l'inonda. Pierrot branlait comme on baise et la pine cracha le foutre sur le gilet. Le nain râlait avec de petits soubresauts de la tête aux pieds.

MARIE PISSE
SUR LE COMTE

MARIE pissait toujours.

Sur la table au milieu des bouteilles et des verres, elle s'arrosait d'urine avec les mains.

Elle s'inondait les jambes, le cul et la figure.

— Regarde, dit-elle, je suis belle.

Accroupie, le con au niveau de la tête du monstre, elle en fit ouvrir horriblement les lèvres.

MARIE S'ARROSE
D'URINE

MARIE eut un sourire fielleux.

Une vision de mauvaise horreur...

Un de ses pieds glissa : le con frappa la tête du comte.

Il perdit l'équilibre et tomba.

Tous deux s'abattirent en gueulant, dans un incroyable fracas.

MARIE TOMBE
SUR LE MONSTRE

IL y eut au sol une mêlée affreuse.

Marie se déchaîna, mordit la queue du nain qui brailla.

Pierrot la terrassa. Il l'étala les bras en croix : les autres lui tenaient les jambes.

Marie gémit :

— Laisse-moi.

Puis elle se tut.

Elle soufflait à la fin, les yeux clos.

Elle ouvrit les yeux. Pierrot, rouge, en sueur était sur elle.

— Baise-moi, dit-elle.

MARIE MORD LA QUEUE
DU NAIN

— BAISE-LA, Pierrot, dit la patronne.

Ils s'agitèrent autour de la victime.

Marie laissa retomber la tête, gênée par ces préparatifs. Les autres l'étendirent, ouvrirent ses jambes. Elle respirait vite, elle avait le souffle bruyant.

La scène, dans sa lenteur évoquait l'égorgement d'un porc, ou la mise au tombeau d'un dieu.

Pierrot déculotté, le comte exigea qu'il fût nu.

L'éphèbe eut une ruée de taureau : le comte facilita l'entrée du vit. La victime palpita et se débattit : corps à corps d'une incroyable haine.

Les autres regardaient, les lèvres sèches, dépassés par cette frénésie. Les corps que nouait la pine de Pierrot roulaient sur le sol en se débattant. A la fin s'arc-boutant à se briser le valet hors d'haleine gueula, perdant la bave, Marie lui répondit par un spasme de mort.

MARIE EST PINEE
PAR PIERROT

... MARIE revint à elle.

Elle entendait des chants d'oiseaux dans la ramure d'un bois.

Les chants, d'une délicatesse infinie, fuyaient en sifflant d'arbre en arbre. Etendue dans l'herbe mouillée elle vit que le ciel était clair : le jour à ce moment naissait.

Elle eut froid, saisie d'un bonheur glacé, suspendu dans un vide inintelligible. Pourtant comme elle aurait aimé, doucement, lever la tête et bien qu'elle retombât d'épuisement sur le sol, elle demeurait fidèle à la lumière, au feuillage, aux oiseaux qui peuplaient les bois. Un instant la mémoire de timidités d'enfant l'effleura. Elle aperçut, penchée sur elle, la large et solide tête du comte.

MARIE ECOUTE
LES OISEAUX DES BOIS

CE que Marie lut dans les yeux du nain était l'insistance de la mort : ce visage n'exprimait qu'un désenchantement infini, qu'une obsession affreuse rendait cynique. Elle eut un sursaut de haine, et la mort s'approchant, elle eut très peur.

Elle se dressa serrant les dents devant le monstre agenouillé.

Debout, elle trembla.

Elle recula, regarda le comte et vomit.

— Tu vois, dit-elle.

— Soulagée ? demanda le comte.

— Non, dit-elle.

Elle vit le vomi devant elle. Son manteau déchiré la couvrait mal.

— Où allons-nous ? fit-elle.

— Chez vous, répondit le comte.

MARIE VOMIT

— CHEZ moi, gémit Marie. De nouveau la tête lui tournait.

— Es-tu le diable, à vouloir aller chez moi ? demanda-t-elle.

— Oui, répartit le nain, on m'a dit quelquefois que j'étais le diable.

— Le diable, dit Marie, je chie devant le diable !

— A l'instant vous avez vomi.

— Je chierai.

Elle s'accroupit et chia sur le vomi.

Le monstre était encore agenouillé.

Marie s'adossa contre un chêne. Elle était en sueur, en transe.

Elle dit :

— Tout cela, ce n'est rien. Mais *chez moi,* tu auras peur... Trop tard...

Elle secoua la tête et, sauvage, marcha brusquement sur le nain, le tira par le col et cria :

— Tu viens ?

— Volontier, dit le comte

Il ajouta, presque à voix basse :

— Elle me vaut.

MARIE CHIE
SUR LE VOMI

MARIE, qui l'entendit, regarda simplement le comte. Il se leva :

— Jamais, murmura-t-il, personne ne me parle de cette façon.

— Tu peux t'en aller, dit-elle. Mais si tu viens...

Le comte l'interrompit sèchement :

— Je vous suis. Vous allez vous donner à moi.

Elle demeura violente :

— Il est temps, dit-elle. Viens.

MARIE EMMENE
LE COMTE

ILS marchèrent rapidement.

Le jour se levait quand ils arrivèrent. Marie poussa la grille. Ils prirent une allée de vieux arbres : le soleil en dora les têtes.

Marie dans toute sa hargne se savait d'accord avec le soleil. Elle introduisit le comte dans sa chambre.

— C'est fini, se dit-elle. Elle était à la fois lasse, haineuse, indifférente.

— Déshabille-toi, dit-elle, je t'attends dans la chambre voisine.

Le comte se déshabilla sans hâte.

Le soleil à travers un feuillage mouchetait le mur et les mouchetures de la lumière dansaient.

**MARIE ET LE GNOME ENTRENT
DANS LA MAISON**

LE comte banda.

Sa queue était longue et rougeâtre.

Son corps nu et cette queue avaient une difformité de diable. La tête dans les épaules anguleuses et trop hautes, était blême et railleuse.

Il désirait Marie et bornait ses pensées à ce désir.

Il poussa la porte. Tristement nue, elle l'attendait devant un lit, provocante et laide : l'ivresse et la fatigue l'avaient battue.

— Qu'avez-vous ? dit Marie.

Le mort, en désordre, emplissait la chambre...

Le comte doucement balbutia.

— ... j'ignorais...

Il dut s'appuyer sur un meuble : *il débandait*.

Marie eut un sourire affreux.

— *C'est fait !* dit-elle.

Elle avait l'air stupide montrant dans sa main droite une ampoule brisée. Enfin, elle tomba.

MARIE MEURT

... ENFIN *le comte aperçut les deux cor-
billards à la suite, allant au cimetière au pas.*
Le nain siffla entre ses dents :
— Elle m'a eu...
Il ne vit le canal et se laissa glisser.
*Un bruit lourd, un instant, dérangea le
silence de l'eau.*

Restait le soleil.

MARIE SUIT
LE MORT DANS LA TERRE

HISTOIRE DE L'ŒIL

L'ŒIL DE CHAT

J'ai été élevé seul et, aussi loin que je me le rappelle, j'étais anxieux des choses sexuelles. J'avais près de seize ans quand je rencontrai une jeune fille de mon âge, Simone, sur la plage de X... Nos familles se trouvant une parenté lointaine, nos relations en furent précipitées. Trois jours après avoir fait connaissance, Simone et moi étions seuls dans sa villa. Elle était vêtue d'un tablier noir et portait un col empesé. Je commençais à deviner qu'elle partageait mon angoisse, d'autant plus forte ce jour-là qu'elle paraissait nue sous son tablier.

Elle avait des bas de soie noire montant au-dessus du genou. Je n'avais pu encore la voir jusqu'au cul (ce nom que j'employais avec Simone me paraissait le plus joli des noms du sexe). J'imaginais seulement que, soulevant le tablier, je verrais nu son derrière.

Il y avait dans le couloir une assiette de lait destinée au chat.

— Les assiettes, c'est fait pour s'asseoir, dit Simone. Paries-tu ? Je m'assois dans l'assiette.

— Je pari que tu n'oses pas, répondit-je, sans souffle.

Il faisait chaud. Simone mit l'assiette sur un petit banc, s'installa devant moi et, sans quitter mes yeux, s'assit et trempa son derrière dans le lait. Je restai quelque temps immobile, le sang à la tête et tremblant, tandis qu'elle regardait ma verge tendre ma culotte. Je me couchai à ses pieds. Elle ne bougeait plus ; pour la première fois, je vis sa « chair rose et noire » baignant dans le lait blanc. Nous restâmes longtemps immobiles, aussi rouges l'un que l'autre.

Elle se leva soudain : le lait coula jusqu'à ses bas sur les cuisses. Elle s'essuya avec son mouchoir, debout par-dessus ma tête, un pied sur le petit banc. Je me frottais la verge en m'agitant sur le sol. Nous arrivâmes à la jouissance au même instant, sans nous être touchés l'un l'autre. Cependant, quand sa mère

rentra, m'asseyant sur un fauteuil bas, je pro-
fitai d'un moment où la jeune fille se blottit
dans les bras maternels : je soulevai sans être
vu le tablier, passant la main entre les cuisses
chaudes.

Je rentrai chez moi en courant, avide de me
branler encore. Le lendemain, j'avais les yeux
cernés. Simone me dévisagea, cacha sa tête
contre mon épaule et me dit : « Je ne veux
plus que tu te branles sans moi. »

Ainsi commencèrent entre nous des relations d'amours si étroites et si nécessaires que
nous restons rarement une semaine sans nous
voir. Nous n'en avons pour ainsi dire jamais
parlé. Je comprends qu'elle éprouve en ma
présence des sentiments voisins des miens,
diffciles à écrire. Je me rappelle un jour où
nous allions vite en voiture. Je renversai une
jeune et jolie cycliste, dont le cou fut presque
arraché par les roues. Nous l'avons longtemps
regardée morte. L'horreur et le désespoir qui
se dégageaient de ces chairs écœurantes en
partie, en partie délicates, rappellent le sentiment que nous avons en principe à nous voir.
Simone est simple d'habitude. Elle est grande
et jolie; rien de désespérant dans le regard ni
dans la voix. Mais elle est si avide de ce qui
trouble les sens que le plus petit appel donne
à son visage un caractère évoquant le sang, la
terreur subite, le crime, tout ce qui ruine sans
fin la béatitude et la bonne conscience. Je lui

vis la première fois cette crispation muette,
absolue — que je partageais — le jour où elle
mit son derrière dans l'assiette. Nous ne nous
regardons guère avec attention qu'en de tels
moments. Nous ne sommes tranquilles et ne
jouons qu'en de courtes minutes de détente,
après l'orgasme.

Je dois dire ici que nous restâmes longtemps
sans faire l'amour. Nous profitions des occa-
sions pour nous livrer à nos jeux. Nous
n'étions pas sans pudeur, au contraire, mais
une sorte de malaise nous obligeait à la braver.
Ainsi, à peine m'avait-elle demandé de ne plus
me branler seul (nous étions en haut d'une falaise), elle me déculotta, me fit étendre à terre
et se troussant, s'assit sur mon ventre et s'oublia
sur moi. Je lui mis dans le cul un doigt que
mon foutre avait mouillé. Elle se coucha ensuite la tête sous ma verge, et prenant appui
des genoux sur mes épaules, leva le cul en le
ramenant vers moi qui maintenais ma tête à
son niveau.

— Tu peux faire pipi en l'air jusqu'au cul ?
demanda-t-elle.

— Oui, répondis-je, mais la pisse va couler
sur ta robe et sur ta figure.

— Pourquoi pas, conclut-elle, et je fis
comme elle avait dit, mais à peine l'avais-je fait
que je l'inondai à nouveau, cette fois de foutre
blanc.

Cependant l'odeur de la mer se mêlait à celle

du linge mouillé de nos ventres nus et du
foutre. Le soir tombait et nous restions dans
cette position, sans mouvement, quand nous
entendîmes un pas froisser l'herbe.

— Ne bouge pas, supplia Simone.

Le pas s'était arrêté; nous ne pouvions pas
voir qui s'approchait, nous ne respirions plus.
Le cul de Simone ainsi dressé me semblait, il
est vrai, une puissante supplication : il était
parfait, les fesses étroites et délicates, profondément fendues. Je ne doutai pas que l'inconnu
ou l'inconnue ne succombât bientôt et ne fût
obligé de se dénuder à son tour. Le pas reprit,
presque une course, et je vis paraître une
ravissante jeune fille, Marcelle, la plus pure et
la plus touchante de nos amies. Nous étions
contractés dans nos attitudes au point de ne
pouvoir bouger même un doigt, et ce fut sou-
dian notre malheureuse amie qui s'effondra
dain notre malheureuse amie qui s'effondra
nous étant dégagés, nous nous jetâmes sur ce
corps abandonné. Simone troussa la jupe,
arracha la culotte et me montra avec ivresse
un nouveau cul aussi joli que le sien. Je l'embrassai avec rage, branlant celui de Simone
dont les jambes s'étaient refermées sur les reins
de l'étrange Marcelle qui déjà ne cachait que
ses sanglots.

— Marcelle, criai-je, je t'en supplie, ne pleure
plus. Je veux que tu m'embrasses la bouche.

Simone elle-même caressait ses beaux

cheveux plats, lui donnant des baisers sur tout le corps.

Cependant, le ciel avait tourné à l'orage et, avec la nuit, de grosses gouttes de pluie avaient commencé de tomber, provoquant une détente après l'accablement d'un jour torride et sans air. La mer faisait déjà un bruit énorme, dominé par de longs roulements de tonnerre, et des éclairs permettaient de voir comme en plein jour les deux culs branlés des jeunes filles devenues muettes. Une frénésie brutale animait nos trois corps. Deux bouches juvéniles se disputaient mon cul, mes couilles et ma verge et je ne cessai pas d'écarter des jambes humides de salive et de foutre. Comme si j'avais voulu échapper à l'étreinte d'un monstre, et ce monstre était la violence de mes mouvements. La pluie chaude tombait à torrents et nous ruisselait par tout le corps. De grands coups de tonnerre nous ébranlaient et accroissaient notre rage, nous arrachant des cris redoublés à chaque éclair par la vue de nos parties sexuelles. Simone avait trouvé une flaque de boue et s'en barbouillait : elle se branlait avec la terre et jouissait, fouettée par l'averse, ma tête serrée entre ses jambes souillées de terre, le visage vautré dans la flaque où elle agitait le cul de Marcelle enlacée d'un bras derrière les reins, la main tirant la cuisse et l'ouvrant avec force.

L'ARMOIRE NORMANDE

Dès cette époque, Simone contracta la manie de casser des œufs avec son cul. Elle se plaçait pour cela la tête sur le siège d'un fauteuil, le dos collé au dossier, les jambes repliées vers moi qui me branlais pour la foutre dans la figure. Je plaçais alors l'œuf au-dessus du trou : elle prenait plaisir à l'agiter dans la fente profonde. Au moment où le foutre jaillissait, les fesses cassaient l'œuf, elle jouissait, et, plongeant ma figure dans son cul, je m'inondais de cette souillure abondante.

Sa mère surprit notre manège, mais cette femme extrêmement douce, bien qu'elle eût une vie exemplaire, se contenta la première fois d'assister au jeu sans mot dire, si bien que nous ne l'aperçûmes pas : j'imagine qu'elle ne put de terreur ouvrir la bouche. Quand nous eûmes terminé (nous réparions le désordre à la hâte), nous la découvrîmes debout dans l'embrasure de la porte.

— Fais celui qui n'a rien vu, dit Simone, et elle continua d'essuyer son cul.

Nous sortîmes sans nous presser.

Quelques jours après, Simone, qui faisait avec moi de la gymnastique dans la charpente d'un garage, pissa sur cette femme qui s'était arrêtée sous elle sans la voir. La vieille dame se rangea, nous regardant de ses yeux tristes, avec un air si désemparé qu'il provoqua nos jeux. Simone, éclatant de rire, à quatre pattes, en exposant le cul devant mon visage, je la troussai et me branlai, ivre de la voir nue devant sa mère.

Nous étions restés une semaine sans avoir revu Marcelle quand nous la rencontrâmes dans la rue. Cette jeune fille blonde, timide et naïvement pieuse, rougit si profondément que Simone l'embrassa avec une tendresse nouvelle.

— Je vous demande pardon, lui dit-elle à voix basse. Ce qui est arrivé l'autre jour est mal. Mais cela n'empêche pas que nous devenions amis maintenant. Je vous promets :

nous n'essayerons plus de vous toucher.

Marcelle, qui manquait au dernier degré de volonté, accepta de nous suivre et de venir goûter chez Simone en compagnie de quelques amis. Mais au lieu de thé, nous bûmes du champagne en abondance.

La vue de Marcelle rougissante nous avait troublés; nous nous étions compris, Simone et moi, certains que rien ne nous ferait reculer désormais. Outre Marcelle, trois jolies jeunes filles et deux garçons se trouvaient là; le plus âgé des huit n'avait pas dix-sept ans. La boisson produisit un effet violent, mais, hors Simone et moi, personne n'était troublé comme nous voulions. Un phonographe nous tira d'embarras. Simone, dansant seule un rag-time endiablé, montra ses jambes jusqu'au cul. Les autres jeunes filles, invitées à la suivre, étaient trop gaies pour se gêner. Et sans doute elles avaient des pantalons: mais ils ne cachaient pas grand-chose. Seule Marcelle, ivre et silencieuse, refusa de danser.

Simone, qui se donnait l'air d'être complètement soûle, froissa une nappe et, l'élevant, proposa un pari :

— Je parie, dit-elle, que je fais pipi dans la nappe devant tout le monde.

C'était en principe une réunion de petits jeunes gens ridicules et bavards. Un des garçons la défia. Le pari fut fixé à discrétion. Simone n'hésita nullement et trempa la nappe. Mais son audace la déchira jusqu'à la corde. Si bien que les jeunes fous commençaient à s'égarer.

— Puisque c'est à discrétion, dit Simone au perdant, la voix rauque, je vous déculotterai devant tout le monde.

Ce qui fut fait sans difficulté. Le pantalon ôté, Simone enleva la chemise (pour lui éviter d'être ridicule). Rien de grave toutefois ne s'était passé : à peine Simone avait-elle d'une main légère caressé la queue de son camarade. Mais elle ne songeait qu'à Marcelle qui me suppliait de la laisser partir.

— On vous a promis de ne pas vous toucher, Marcelle, pourquoi voulez-vous partir ?

— Parce que, répondit-elle obstinément. (Une colère panique s'emparait d'elle.)

Tout à coup, Simone tomba à terre, à la terreur des autres. Une confusion de plus en plus folle l'agitait, les vêtements en désordre, le cul à l'air, comme atteinte d'épilepsie, et se roulant aux pieds du garçon qu'elle avait déculotté, elle balbutiait des mots sans suite.

— Pisse-moi dessus... pisse-moi dans le cul..., répétait-elle avec une sorte de soif.

Marcelle regardait fixement : elle rougit jusqu'au sang. Elle me dit sans me voir qu'elle voulait enlever sa robe. Je la lui retirai puis la débarrassai de son linge; elle garda sa ceinture et ses bas. S'étant à peine laissé branler et baiser par moi sur la bouche, elle traversa la pièce en somnambule et gagna une armoire normande où elle s'enferma (elle avait murmuré quelques mots à l'oreille de Simone).

Elle voulait se branler dans cette armoire et suppliait qu'on la laissât seule.

Il faut dire que nous étions tous ivres et renversés par l'audace les uns des autres. Le garçon nu était sucé par une jeune fille. Simone, debout et retroussée, frottait ses fesses à l'armoire où l'on entendait Marcelle se branler avec un halètement violent.

Il arriva soudain une chose folle : un bruit d'eau suivi de l'apparition d'un filet puis d'un ruissellement au bas de la porte du meuble. La malheureuse Marcelle pissait dans son armoire en jouissant. L'éclat de rire ivre qui suivit dégénéra en une débauche de chutes de corps, de jambes et de culs en l'air, de jupes mouillées et de foutre. Les rires se produisaient comme des hoquets involontaires, retardant à peine la ruée vers les culs et les queues. Pourtant on entendit bientôt la triste Marcelle sangloter seule et de plus en plus fort dans cette pissotière de fortune qui lui servait maintenant de prison.

. . . .

Une demi-heure après, quelque peu dessoûlé, l'idée me vint d'aider Marcelle à sortir de l'armoire. La malheureuse jeune fille était désespérée, tremblant et grelottant de fièvre. M'apercevant, elle manifesta une horreur maladive.

J'étais pâle, taché de sang, habillé de travers.
Des corps sales et dénudés gisaient derrière
moi, dans un désordre hagard. Des débris de
verre avaient coupé et mis à sang deux d'entre
nous; une jeune fille vomissait; des fous rires
si violents nous avaient pris que nous avions
mouillé qui ses vêtements, qui son fauteuil ou
le plancher; il en résultait une odeur de sang,
de sperme, d'urine et de vomi qui faisait
reculer d'horreur, mais le cri qui se déchira
dans la gorge de Marcelle m'effraya davantage
encore. Je dois dire que Simone dormait le
ventre en l'air, la main à la fourrure, le visage
apaisé.

Marcelle, qui s'était précipitée en trébuchant
avec des grognements informes, m'ayant
regardé une seconde fois, recula comme devant
la mort; elle s'effondra et fit entendre une
kyrielle de cris inhumains.

Chose étonnante, ces cris me redonnèrent
du cœur au ventre. On allait accourir, c'était
inévitable. Je ne cherchai nullement à fuir, à
diminuer le scandale. J'allai tout au contraire
ouvrir la porte : spectacle et joie inouïs ! Qu'on
imagine sans peine les exclamations, les cris,
les menaces disproportionnées des parents en-
trant dans la chambre : la cour d'assise, le
bagne, l'échafaud étaient évoqués avec des cris
incendiaires et des imprécations spasmodiques.
Nos camarades eux-mêmes s'étaient mis à crier.

Jusqu'à produire un éclat délirant de cris et de larmes : on eût dit qu'on venait de les allumer comme des torches.

Quelle atrocité pourtant ! Il me sembla que rien ne pourrait mettre fin au délire tragi-comique de ces fous. Marcelle, demeurée nue, continuait en gesticulant à traduire en cris une souffrance morale et une terreur impossibles; on la vit mordre sa mère au visage, au milieu de bras qui tentaient vainement de la maîtriser.

Cette irruption des parents détruisit ce qui lui restait de raison. On dut avoir recours à la police. Tout le quartier fut témoin du scandale inouï.

L'ODEUR DE MARCELLE

Mes parents n'avaient pas donné signe de vie. Je jugeai toutefois prudent de filer en prévision de la rage d'un vieux père, type achevé de général gâteux et catholique. Je rentrai dans la villa par-derrière, afin d'y dérober une somme d'argent suffisante. Certain qu'on me chercherait partout ailleurs, je me baignai dans la chambre de mon père. Je gagnai la campagne à dix heures du soir, laissant ce mot sur la table de ma mère :

« Veuillez, je vous prie, ne pas m'envoyer la

police. J'emporte un revolver. La première
balle sera pour le gendarme, la seconde pour
moi. »

Je n'ai jamais cherché ce qu'on appelle une
attitude. Je désirais seulement faire hésiter ma
famille, irréductible ennemie du scandale.
Toutefois, ayant écrit ce mot avec légèreté,
non sans rire, je ne trouvai pas mauvais de
mettre dans ma poche le revolver de mon père.

Je marchai presque toute la nuit le long de
la mer, mais sans m'éloigner beaucoup de X...,
étant donné les détours de la côte. Je voulais
m'apaiser en marchant : mon délire composait
malgré moi des phantasmes de Simone, de
Marcelle. Peu à peu, l'idée me vint de me tuer ;
prenant le revolver en main, j'achevai de perdre
le sens de mots comme espoir et désespoir.
J'éprouvai par lassitude une nécessité de
donner malgré tout quelque sens à ma vie. Elle
en aurait dans la mesure où je reconnaîtrais
comme désirables un certain nombre d'événements. J'acceptai la hantise des noms : *Simone*,
Marcelle. J'avais beau rire, je m'agitais en raison
d'une composition fantasque où mes démar-
ches les plus étranges se liaient sans finir avec
les leurs.

Je dormis dans un bois pendant le jour.
J'allai chez Simone à la tombée de la nuit ; je
passai dans le jardin en sautant le mur. La
chambre de mon amie était éclairée : je jetai
des cailloux dans la fenêtre. Simone descendit.

Nous partîmes presque sans mot dire dans la direction de la mer. Nous étions gais de nous retrouver. Il faisait sombre et, de temps à autre, je relevais sa robe et lui prenais le cul en main : je n'en tirais aucun plaisir. Elle s'assit, je me couchai à ses pieds : je vis que j'allais sangloter. En effet, je sanglotai longuement sur la sable.

— Qu'est-ce que c'est ? dit Simone.

Elle me donna un coup de pied pour rire. Le pied heurta le revolver dans ma poche. Une effrayante détonation nous arracha un cri. Je j'étais pas blessé et me trouvai debout, comme entré dans un autre monde. Simone, elle-même, était pâle et défaite.

Ce jour-là nous n'eûmes pas l'idée de nous branler.

Nous nous embrassâmes longuement sur la bouche, ce qui ne nous était pas encore arrivé.

Je vécus ainsi pendant quelques jours : nous rentrions tard dans la nuit. Nous couchions dans sa chambre où je restais caché jusqu'à la nuit. Simone me portait à manger. Sa mère, manquant d'autorité (le jour du scandale, à peine avait-elle entendu les cris qu'elle avait quitté la maison), acceptait la situation. Quant aux domestiques, l'argent, depuis longtemps, les tenait à la dévotion de Simone.

Nous connûmes par eux les circonstances de l'internement de Marcelle et la maison de santé où elle était enfermée. Dès le premier jour, notre souci porta tout entier sur elle, sa folie, la solitude de son corps, les possibilités de l'atteindre, de la faire évader peut-être.

Un jour, je tentai de forcer Simone.

— Tu es fou ! cria-t-elle. Mais, mon petit, cela ne m'intéresse pas, dans un lit, comme une mère de famille ! Avec Marcelle...

— Comment ? dis-je déçu, mais au fond d'accord avec elle.

Affectueuse, elle revint et d'une voix de rêve dit encore :

— ... quand elle nous verra faire l'amour... elle fera pipi... comme ça...

Je sentis un liquide charmant couler sur mes jambes. Quand elle eut fini, je l'inondai à mon tour. Je me levai, lui montai sur la tête, et lui barbouillai la figure de foutre. Souillée, elle jouit avec démence. Elle aspirait notre odeur heureuse.

— Tu sens Marcelle, dit-elle, le nez levé sous mon cul encore mouillé.

Souvent, l'envie douloureuse nous prenait de faire l'amour. Mais l'idée ne nous venait plus de ne pas attendre Marcelle dont les cris n'avaient pas cessé d'agacer nos oreilles et demeuraient liés à nos troubles désirs. Notre rêve dans ces conditions n'était qu'un long cauchemar. Le sourire de Marcelle, sa jeunesse, ses sanglots, la honte qui la faisait rougir et, rouge jusqu'à la sueur, arracher sa robe, abandonner de jolies fesses rondes à des bouches impures, le délire qui l'avait fait s'enfermer dans l'armoire, s'y branler avec tant d'abandon qu'elle n'avait pu se retenir de pisser, tout cela déformait, déchirait nos désirs sans fin. Simone, dont la conduite au cours du scandale avait été plus infernale que jamais (elle ne s'était même pas couverte, elle avait ouvert les jambes au contraire), ne pouvait oublier que l'orgasme imprévu résultant de sa propre impudeur, des hurlements, de la nudité de Marcelle, avait dépassé en puissance ce qu'elle imaginait jusque-là. Son cul ne s'ouvrait plus devant moi sans que le spectre de Marcelle en rage, en délire ou rougissante, ne vînt donner à ses goûts une portée atterrante, comme si le sacrilège devait rendre toute chose généralement affreuse et infâme.

D'ailleurs les régions marécageuses du cul — auxquelles ne ressemblent que les jours de crue et d'orage ou les émanations suffocantes des volcans, et qui n'entrent en activité, comme les orages ou les volcans, qu'avec quelque chose d'un désastre — ces régions désespérantes que Simone, dans un abandon qui ne présageait que des violences, me laissait regarder comme en hypnose, n'étaient plus désormais pour moi que l'empire souterrain d'une Marcelle suppliciée dans sa prison et devenue la proie des cauchemars. Je ne comprenais même plus qu'une chose : à tel point l'orgasme ravageait le visage de la jeune fille aux sanglots coupés de cris.

Simone de son côté ne regardait plus le
foutre que je faisais jaillir sans en voir en
même temps la bouche et le cul de Marcelle
abondamment souillés.

— Tu pourrais lui fesser la figure avec ton
foutre, me dit-elle, s'en barbouillant elle-même
le cul, « pour qu'il fume ».

UNE TACHE DE SOLEIL

Les autres femmes ou les autres hommes n'avaient plus d'intérêt pour nous. Nous ne songions plus qu'à Marcelle dont nous imaginions puérilement la pendaison volontaire, l'enterrement clandestin, les apparitions funèbres. Un soir, bien renseignés, nous partîmes à bicyclette pour la maison de santé où notre amie était enfermée. Nous parcourûmes en moins d'une heure vingt kilomètres qui nous séparaient d'un château entouré d'un parc, isolé sur une falaise dominant la mer. Nous

savions que Marcelle occupait la chambre 8,
mais il aurait fallu pour la trouver arriver par
l'intérieur. Nous ne pouvions espérer qu'entrer
dans cette chambre par la fenêtre après en
avoir scié les barreaux. Nous n'imaginions pas
de moyen de la distinguer quand notre attention fut attirée par une étrange apparition.
Nous avions sauté le mur et nous trouvions
dans ce parc où le vent violent agitait les arbres
quand nous vîmes s'ouvrir une fenêtre du
premier, et une ombre attacher solidement un
drap à l'un des barreaux. Le drap claqua aussitôt dans le vent, la fenêtre fut refermée avant
que nous n'eussions reconnu l'ombre.

Il est difficile d'imaginer le fracas de cet
immense drap blanc pris dans la bourrasque :
il dominait de beaucoup celui de la mer et du
vent. Pour la première fois, je voyais Simone
angoissée d'autre chose que de sa propre impudeur ; elle se serra contre moi, le cœur battant,
et regarda les yeux fixes ce fantôme faire rage
dans la nuit, comme si la démence elle-même
venait de hisser son pavillon sur ce lugubre
château.

Nous restions immobiles, Simone blottie
dans mes bras, moi-même à demi hagard,
quand soudain le vent sembla déchirer les
nuages et la lune éclaira avec une précision
révélatrice un détail si étrange et si déchirant
qu'un sanglot s'étrangla dans la gorge de
Simone : le drap qui s'étalait dans le vent avec

un bruit éclatant était souillé au centre d'une large tache mouillée qu'éclairait par transparence la lumière de la lune...

En peu d'instants, les nuages masquèrent à nouveau le disque lunaire : tout rentra dans l'ombre.

Je demeurai debout, suffoqué, les cheveux dans le vent, pleurant moi-même comme un malheureux, tandis que Simone, effondrée dans l'herbe, se laissait pour la première fois secouer par de grands sanglots d'enfant.

Ainsi, c'était notre malheureuse amie, c'était Marcelle à n'en pas douter qui venait d'ouvrir cette fenêtre sans lumière, c'était elle qui avait fixé aux barreaux de sa prison cet hallucinant signal de détresse. Elle avait dû se branler dans son lit, avec un si grand trouble des sens qu'elle s'était inondée; nous l'avions vue ensuite attacher un drap aux barreaux, pour qu'il sèche.

Je ne savais que faire dans ce parc, devant cette fausse demeure de plaisance aux fenêtres grillées. Je m'éloignai, laissant Simone étendue sur le gazon. Je ne voulais que respirer un instant seul, mais une fenêtre non grillée du rez-de-chaussée était demeurée entrouverte. J'assurai mon revolver dans ma poche et j'entrai : c'était un salon semblable à n'importe quel autre. Une lampe de poche me permit de passer dans une antichambre, puis dans un escalier. Je ne distinguais rien, n'aboutissais à

rien : les chambres n'étaient pas numérotées.
J'étais d'ailleurs incapable de rien comprendre,
envoûté; je ne sus même pas sur le moment
pourquoi je me déculottai et continuai en
chemise mon angoissante exploration. J'enlevai
l'un après l'autre mes vêtements et les mis sur
une chaise, ne gardant que des chaussures.
Une lampe dans la main gauche, dans la main
droite un revolver, je marchais au hasard. Un
léger bruit me fit éteindre ma lampe. Je
demeurai immobile, écoutant mon souffle irré-
gulier. De longues minutes d'angoisse s'étant
passées sans que j'entendisse rien, je rallumai
ma lampe : un petit cri me fit m'enfuir si vite
que j'oubliai mes vêtements sur la chaise.

Je me sentais suivi; je m'empressai de sortir;
je sautai par la fenêtre et me cachai dans une
allée. Je m'étais à peine retourné qu'une
femme nue se dressa dans l'embrasure de la
fenêtre; elle sauta comme moi dans le parc et
s'enfuit en courant dans la direction des
buissons d'épines.

Rien n'était plus étrange, en ces minutes
d'angoisse, que ma nudité au vent dans l'allée
d'un jardin inconnu. Tout avait lieu comme si
j'avais quitté la Terre, d'autant que la bourrasque assez tiède suggérait une invitation. Je
ne savais que faire du revolver : je n'avais plus
de poche sur moi. Je poursuivais cette femme
que j'avais vue passer, comme si je voulais
l'abattre. Le bruit des éléments en colère, le

fracas des arbres et du drap achevaient cette
confusion. Ni dans mon intention, ni dans
mes gestes, il n'était rien de saisissable.

Je m'arrêtai ; j'étais arrivé au buisson où
l'ombre avait disparu tout à l'heure. Exalté,
revolver en main, je regardais autour de moi :
mon corps à ce moment se déchira ; une main
ensalivée avait saisi ma verge et la branlait, un
baiser baveux et brûlant me pénétrait l'intimité
du cul, la poitrine nue, les jambres nues d'une
femme se collaient à mes jambes avec un sou-
bresaut d'orgasme. Je n'eus que le temps de
me tourner pour cracher mon foutre à la figure
de Simone ; le revolver en main, j'étais parcouru
d'un frisson d'une violence égale à celle de la
bourrasque, mes dents claquaient, mes lèvres
écumaient, les bras, les mains tordus, je serrai
convulsivement mon revolver et, malgré moi,
trois coups de feu terrifiants et aveugles parti-
rent en direction du château.

Ivres et relâchés, Simone et moi nous étions
échappés l'un à l'autre, aussitôt élancés à travers la pelouse comme des chiens. La bourrasque était trop déchaînée pour que les déto-
nations éveillassent les habitants du château.
Mais comme nous regardions la fenêtre où cla-
quait le drap, nous constations, surpris, qu'une
balle avait étoilé un carreau quand nous vîmes
cette fenêtre ébranlée s'ouvrir et l'ombre
apparut pour la seconde fois.

Atterrés, comme si Marcelle en sang devait sous nos yeux tomber morte dans l'embrasure, nous restions debout au-dessous de cette apparition immobile, ne pouvant même nous faire entendre d'elle, tant le vent faisait rage.

— Qu'as-tu fait de tes vêtements ? demandai-je à Simone au bout d'un instant.

Elle me répondit qu'elle m'avait cherché et, ne me trouvant plus, avait fini par aller comme moi à la découverte à l'intérieur du château. Mais, avant d'enjamber la fenêtre, elle s'était déshabillée, imaginant d'être « plus libre ». Et quand, à ma suite, effrayée par moi, elle avait fui, elle n'avait plus retrouvé sa robe. Le vent avait dû l'emporter. Cependant elle épiait Marcelle et ne pensait pas à demander pourquoi j'étais nu moi-même.

La jeune fille à la fenêtre disparut. Un instant passa qui sembla immense; elle alluma l'électricité dans sa chambre, puis revint respirer à l'air libre et regarda dans la direction de la mer. Ses cheveux pâles et plats étaient pris dans le vent, nous distinguions les traits de son visage : elle n'avait pas changé, hors l'inquiétude sauvage du regard, qui jurait avec une simplicité encore enfantine. Elle paraissait plutôt treize ans que seize. Son corps, dans un léger vêtement de nuit, était mince mais plein, dur et sans éclat, aussi beau que son regard fixe.

Quand elle nous aperçut enfin, la surprise sembla lui rendre vie. Elle cria mais nous n'entendîmes rien. Nous lui faisions signe. Elle avait rougi jusqu'aux oreilles. Simone qui pleurait presque, et dont je caressais affectueusement le front, lui envoya des baisers auxquels elle répondit sans sourire. Simone enfin laissa descendre sa main le long du ventre jusqu'à la fourrure. Marcelle l'imita et, posant un pied sur le rebord de la fenêtre, découvrit une jambe que des bas de soie blanche gainaient jusqu'aux poils blonds. Chose étrange, elle avait une ceinture blanche et des bas blancs, quand la noire Simone, dont le cul chargeait ma main, avait une ceinture noire et des bas noirs.

Cependant, les deux jeunes filles se branlaient avec un geste court et brusque, fac à face dans cette nuit d'orage. Elles se tenaient presque immobiles et tendues, le regard rendu fixe par une joie immodérée. Il sembla qu'un invisible monstre arrachait Marcelle au barreau que tenait fortement sa main gauche : nous la vîmes abattue à la renverse dans son délire. Il ne resta devant nous qu'une fenêtre vide, trou rectangulaire perçant la nuit noire, ouvrant à nos yeux las un jour sur un monde composé avec la foudre et l'aurore.

UN FILET DE SANG

L'urine est pour moi liée au salpêtre, et la foudre, je ne sais pourquoi, à un vase de nuit antique de terre poreuse, abandonné un jour de pluie d'automne, sur le toit de zinc d'une buanderie provinciale. Depuis la première nuit à la maison de santé, ces représentations désolées sont demeurées unies, dans la partie obscure de mon esprit, avec le sexe humide et le visage abattu de Marcelle. Toutefois, ce paysage de mon imagination s'inondait soudain d'un filet de lumière et de sang : Marcelle, en effet, ne pouvait jouir sans s'inonder, non de sang, mais d'un jet d'urine claire, et même, à mes yeux, lumineux. Ce jet, d'abord violent, coupé comme un hoquet, puis librement lâché, coïncidait avec un transport de joie inhumaine. Il n'est pas étonnant que les aspects les plus déserts et les plus lépreux d'un rêve ne soient qu'une sollicitation en ce sens; ils répondent à l'attente obstinée d'un éclat — analogue en ceci à la vision du trou éclairé de la fenêtre vide, au moment où Marcelle, tombée sur le plancher, l'inondait sans fin.

Ce jour-là, dans l'orage sans pluie, à travers l'obscurité hostile, il nous fallait fuir le château et filer comme des bêtes, Simone et moi, sans vêtements, l'imagination hantée par l'ennui, qui, sans doute, accablerait à nouveau Marcelle. La malheureuse internée était comme une incarnation de la tristesse et des colères qui, sans fin, donnaient nos corps à la débauche. Un peu après (ayant retrouvé nos bicyclettes), nous ne pouvions nous offrir l'un à l'autre le spectacle irritant, théoriquement sale, d'un corps nu et chaussé sur la machine. Nous pédalions rapidement, sans rire ni parler, dans l'isolement commun de l'impudeur, de la fatigue, de l'absurdité.

Nous étions morts de fatigue. Au milieu d'une côte Simone s'arrêta, prise de frissons. Nous ruisselions de sueur, et Simone grelottait, claquant les dents. Je lui ôtai alors un bas pour essuyer son corps : il avait une odeur chaude, celle des lits de malade et des lits de débauche. Peu à peu, elle revint à un état moins pénible et m'offrit ses lèvres en manière de reconnaissance.

Je gardais les plus grandes inquiétudes. Nous étions encore à dix kilomètres de X... et, dans l'état où nous nous trouvions, il nous fallait à tout prix arriver avant l'aube. Je tenais mal debout, désespérant de voir la fin de cette randonnée dans l'impossible. Le temps depuis lequel nous avions quitté le monde réel, composé de personnes habillées, était si loin qu'il semblait hors de portée. Cette hallucination personnelle se développait cette fois avec la même absence de borne que le cauchemar global de la société humaine, par exemple, avec terre, atmosphère et ciel.

La selle de cuir se collait à nu au cul de Simone qui fatalement se branlait en tournant les jambes. Le pneu arrière disparaissait à mes yeux dans la fente du derrière nu de la cycliste. Le mouvement de rapide rotation de la roue était d'ailleurs assimilable à ma soif, à cette érection qui déjà m'engageait dans l'abîme du cul collé à la selle. Le vent était un peu tombé, une partie du ciel s'étoilait; il me vint à l'idée que la mort étant la seule issue de mon érection, Simone et moi tués, à l'univers de notre vision personnelle se substitueraient les étoiles pures, réalisant à froid ce qui me paraît le terme de

mes débauches, une incandescence géomé-
trique (coïncidence, entre autres, de la vie et
de la mort, de l'être et du néant) et parfaitement fulgurante.

Mais ces images demeuraient liées aux
contradictions d'un état d'épuisement pro-
longé et d'une absurde raideur du membre viril.
Cette raideur, il était difficile à Simone de la
voir, en raison de l'obscurité, d'autant que ma
jambe gauche en s'élevant la cachait chaque
fois. Il me semblait cependant que ses yeux se
tournaient dans la nuit vers ce point de rupture
de mon corps. Elle se branlait sur la selle avec
une brusquerie de plus en plus forte. Elle
n'avait donc pas plus que moi épuisé l'orage
évoqué par sa nudité. J'entendais ses gémis-
sements rauques ; elle fut littéralement arrachée
par la joie et son corps nu fut jeté sur le talus
dans un bruit d'acier traîné sur les cailloux.

Je la trouvai inerte, la tête pendante : un
mince filet de sang avait coulé à la commissure
de la lèvre. Je soulevai un bras qui retomba. Je
me jetai sur ce corps inanimé, tremblant
d'horreur, et, comme je l'étreignais, je fus
malgré moi traversé par un spame de lie et de
sang, avec une grimace de la lèvre inférieure
écartée des dents, comme chez les idiots.

Revenant à la vie lentement, Simone eut un
mouvement qui m'éveilla. Je sortis du demi-
sommeil où m'avait plongé ma dépression, au
moment où j'avais cru souiller son cadavre.

Aucune blessure, aucune ecchymose ne mar-
quait le corps qu'une ceinture à jarretelle et
un bas continuaient à vêtir. Je la pris dans
mes bras et la portai sur la route sans tenir
compte de ma fatigue; je marchai le plus vite
possible (le jour commençait à poindre). Un
effort surhumain me permit seul d'arriver jusqu'à la villa et de coucher avec bonheur ma
merveilleuse amie vivante dans son lit.

La sueur me poissait le visage. J'avais les
yeux sanglants et gonflés, mes oreilles criaient,
je claquais des dents, mais j'avais sauvé celle
que j'aimais, je pensais que, bientôt, nous
reverrions Marcelle; ainsi, trempé de sueur et
zébré de poussière coagulée, je m'étendis près
du corps de Simone et m'abandonnai sans
gémir à de longs cauchemars.

SIMONE

L'accident peu grave de Simone fut suivi d'une période paisible. Elle était demeurée malade. Quand sa mère venait, je passais dans la salle de bains. J'en profitais pour pisser ou me baigner. La première fois que cette femme y voulut entrer, elle en fut empêchée par sa fille.

— N'entre pas, dit-elle, il y a un homme nu.

Simone ne tardait guère à la mettre à la porte et je reprenais ma place sur la chaise à côté du lit. Je fumais, je lisais les journaux.

Parfois, je prenais dans mes bras Simone chaude
de fièvre ; elle faisait avec moi pipi dans la salle
de bains. Je la lavais ensuite avec soin sur le
bidet. Elle était faible et, bien entendu, je ne
la touchais pas longtemps.

Bientôt elle prit plaisir à me faire jeter des
œufs dans la cuvette du siège, des œufs durs,
qui sombraient, et des œufs gobés plus ou
moins vides. Elle demeurait assise à regarder
ces œufs. Je l'asseyais sur la cuvette : entre ses
jambes elle les regardait sous son cul ; à la fin
je tirais la chasse d'eau.

Un autre jeu consistait à casser un œuf au
bord du bidet et à l'y vider sous elle ; tantôt
elle pissait sur l'œuf, tantôt je me déculottais
pour l'avaler au fond du bidet ; elle me promit,
quand elle serait de nouveau valide, de faire la
même chose devant moi puis devant Marcelle.

En même temps nous imaginions de coucher
Marcelle, retroussée mais chaussée et gardant
sa robe, dans une baignoire à demi pleine
d'œufs dans l'écrasement desquels elle ferait
pipi. Simone rêvait encore que je tiendrais
Marcelle nue dans ses bras, le cul haut, les
jambes pliées mais la tête en bas ; elle-même
alors, vêtue d'un peignoir trempé d'eau chaude
et collant, mais laissant la poitrine nue, mon-
terait sur une chaise blanche. Je lui énerverais
les seins en prenant leurs bouts dans le canon
d'un revolver d'ordonnance chargé mais venant
de tirer, ce qui tout d'abord nous aurait

ébranlés et, en second lieu, donnerait au canon l'odeur de la poudre. Pendant ce temps, elle ferait couler de haut et ruisseler de la crème fraîche sur l'anus gris de Marcelle ; elle urinerait aussi dans son peignoir, ou, si le peignoir s'ouvrait, sur le dos ou la tête de Marcelle que, de l'autre côté, je pourrais compisser moi-même. Marcelle alors m'inonderait, puisqu'elle aurait mon cou serré dans ses cuisses. Elle pourrait aussi faire entrer ma verge pissante dans sa bouche.

C'est après de tel rêves que Simone me priait de la coucher sur des couvertures auprès du siège sur lequel elle penchait son visage, reposant ses bras sur les bords de la cuvette, afin de fixer sur les *œufs* ses *yeux* grands ouverts. Je m'installais moi-même à côté d'elle et nos joues, nos tempes se touchaient. Une longue contemplation nous apaisait. Le bruit d'engloutissement de la chasse d'eau divertissait Simone : elle échappait alors à l'obsession et sa bonne humeur revenait.

Un jour, enfin, à l'heure où le soleil oblique de six heures éclairait la salle de bains, un œuf à demi gobé fut envahi par l'eau et, s'étant empli avec un bruit bizarre, fit naufrage sous nos yeux ; cet incident eut pour Simone un sens extrême, elle se tendit et jouit longuement, pour ainsi dire buvant mon œil entre ses lèvres. Puis, sans quitter cet œil sucé aussi obstinément qu'un sein, elle s'assit attirant ma tête et pissa

sur les œufs flottants avec une vigueur et une
satisfaction criantes.

Je pouvais dès lors la considérer comme
guérie. Elle manifesta sa joie, me parlant longuement de sujets intimes, quand d'habitude
elle ne parlait ni d'elle ni de moi. Elle m'avoua
en souriant que, l'instant d'avant, elle avait eu
l'envie de se soulager entièrement; elle s'était
retenue pour avoir un plus long plaisir. L'envie
en effet lui tendait le ventre, elle sentait son
cul gonfler comme un fleur près d'éclore. Ma
main était alors dans sa fente; elle me dit qu'elle
était restée dans le même état, que c'était infi-
niment doux. Et, comme je lui demandais à
quoi lui faisait penser le mot uriner, elle me
répondit *Buriner*, les yeux, avec un rasoir,
quelque chose de rouge, le soleil. Et l'œuf ?
Un œil de veau, en raison de la couleur de la
tête, et d'ailleurs le blanc d'œuf était du blanc
d'œil, et le jaune la prunelle. La forme de l'œil,
à l'entendre, était celle de l'œuf. Elle me
demanda, quand nous sortirions, de casser des
œufs en l'air, au soleil, à coups de revolver. La
chose me paraissait impossible, elle en discuta,
me donnant de plaisantes raisons. Elle jouait
gaiement sur les mots, disant tantôt *casser un
œil*, tantôt *crever un œuf*, tenant d'insoute-
nables raisonnements.

Elle ajouta que l'odeur du cul, des pets, était
pour elle l'odeur de la poudre, un jet d'urine
« un coup de feu vu comme une lumière ».

Chacune de ses fesses était un œuf dur épluché.
Nous nous faisions porter des œufs mollets,
sans coque et chauds, pour le siège : elle me
promit que, tout à l'heure, elle se soulagerait
entièrement sur ces œufs. Son cul se trouvant
encore dans ma main, dans l'état qu'elle m'a-
vait dit, après cette promesse un orage gran-
dissait en nous.

Il faut dire aussi qu'une chambre de malade
est un endroit bien fait pour retrouver la lubri-
cité puérile. Je suçais le sein de Simone en
attendant les œufs mollets. Elle me caressait la
tête. Sa mère nous porta les œufs. Je ne me
retournai pas. La prenant pour une bonne je
continuai. Quand je reconnus sa voix, je ne
bougeai pas davantage, ne pouvant plus, même
un instant, renoncer au sein; je me déculottai
de la même façon que si j'avais dû satisfaire
un besoin, sans ostentation, mais avec le désir
qu'elle s'en allât comme avec la joie d'excéder
les limites. Quand elle quitta la chambre, il
commençait à faire nuit. J'allumai dans la salle
de bains. Simone assise sur le siège, chacun de
nous mangea un œuf chaud, je caressai le corps
de mon amie, faisant glisser les autres sur elle,
et surtout dans la fente des fesses. Simone les
regarda quelque temps immergés, blancs et
chauds, épluchés et comme nus sous son derrière; elle poursuivit l'immersion par un bruit
de chute analogue à celui des œufs mollets.

Il faut le dire ici : rien de ce genre n'eut lieu

depuis lors entre nous; *à une exception près*, nous avons cessé de parler des œufs. Si nous en apercevions, nous ne pouvions nous voir sans rougir, avec une interrogation trouble des yeux.

La fin du récit montrera que cette interrogation ne devait pas rester sans réponse, et que la réponse mesura le vide ouvert en nous par nos amusements avec les œufs.

MARCELLE

Nous évitions Simone et moi toute allusion à nos obsessions. Le mot œuf fut rayé de notre vocabulaire. Nous ne parlions pas davantage du goût que nous avions l'un pour l'autre. Encore moins de ce que Marcelle représentait à nos yeux. Tant que dura la maladie de Simone, nous restâmes dans cette chambre, attendant le jour où nous pourrions retourner vers Marcelle avec l'énervement qui, à l'école, précédait notre sortie de classe. Toutefois, il nous arrivait d'imaginer vaguement ce jour.

Je préparai une cordelette, une corde à nœuds et une scie à métaux que Simone examina avec soin. Je ramenai les bicyclettes laissées dans un fourré, je les graissai attentivement et fixai à la mienne une paire de cale-pieds, voulant ramener derrière moi une des jeunes filles. Rien n'était plus facile, au moins pour un temps, que de faire vivre Marcelle, comme moi, dans la chambre de Simone.

Six semaines passèrent avant que Simone ne pût me suivre à la maison de santé. Nous partîmes dans la nuit. Je continuais à ne jamais paraître au jour et nous avions toutes les raisons de ne pas attirer l'attention. J'avais hâte d'arriver au lieu que je tenais confusément pour un château hanté, les mots « maison de santé » et « château » étant associés dans ma mémoire au souvenir du drap fantôme et de cette demeure silencieuse, peuplée de fous. Chose étonnante, j'avais l'idée d'aller *chez moi*, alors que partout j'étais mal à l'aise.

A cela répondit en effet mon impression quand j'eus sauté le mur et que la bâtisse s'étendit devant nous. Seule, la fenêtre de Marcelle était éclairée, grande ouverte. Les cailloux d'une allée, jetés dans la chambre, attirèrent la jeune fille; elle nous reconnut et se conforma à l'indication que nous lui donnions, un doigt sur la bouche. Mais nous lui présentâmes aussitôt la corde à nœuds pour lui montrer nos intentions. Je lançai la cordelette lestée d'un plomb. Elle me la renvoya passée derrière un barreau. Il n'y eut pas de difficultés; la corde fut hissée, attachée, et je grimpai jusqu'à la fenêtre.

Marcelle recula d'abord lorsque je voulus l'embrasser. Elle se contenta de me regarder avec une extrême attention entamer un barreau à la lime. Je lui demandai doucement de s'habiller pour nous suivre; elle était vêtue d'un peignoir de bain. Me tournant le dos, elle enfila des bas de soie et les assujettit à une ceinture formée de rubans rouge vif, mettant en valeur un derrière d'une pureté et d'une finesse de peau surprenantes. Je continuai à limer, couvert de sueur. Marcelle recouvrit d'une chemise ses reins plats dont les longues lignes étaient agressivement finies par le cul, qu'un pied sur la chaise détachait. Elle ne mit pas de pantalon. Elle passa une jupe de laine grise à plis et un pull-over à petits carreaux noirs, blancs et rouges. Ainsi vêtue et chaussée de souliers à talons plats, elle revint s'asseoir près de moi. Je pouvais d'une main caresser ses beaux cheveux plats, si blonds qu'ils semblaient pâles. Elle me regardait avec affection et semblait touchée par ma joie muette.

— Nous allons nous marier, n'est-ce pas ? dit-elle enfin. Ici, c'est mauvais, on souffre...

A ce moment l'idée n'aurait pu me venir un instant de ne pas dévouer le reste de mes jours à cette apparition irréelle. Je l'embrassai

longuement sur le front et les yeux. Une de
ses mains par hasard ayant glissé sur ma jambe,
elle me regarda avec de grands yeux, mais avant
de la retirer, me caressa d'un geste d'absente
à travers le drap.

L'immonde barreau céda après un long
effort. Je l'écartai de toutes mes forces, ouvrant
l'espace nécessaire au passage. Elle passa en
effet, je la fis descendre, l'aidant d'une main
glissée à nu entre ses jambes. Elle se blottit
dans mes bras sur le sol et m'embrassa sur la
bouche. Simone, à nos pieds, les yeux brillants
de larmes, étreignit ses jambes, embrassant ses
cuisses sur lesquelles tout d'abord elle s'était
contentée de poser sa joue, mais ne pouvant
contenir un frisson de joie, elle ouvrit le corps
et, collant ses lèvres à la vulve, l'embrassa avi-
dement.

Nous nous rendions compte, Simone et moi,
que Marcelle ne comprenait pas ce qui lui arrivait. Elle souriait, imaginant la surprise du
directeur du « château hanté », quand il la
verrait avec son mari. Elle avait peu de conscience de l'existence de Simone, qu'en riant,
elle prenait parfois pour un loup, en raison de
sa chevelure noire, de son mutisme et pour
avoir trouvé la tête de mon amie allongée
comme celle d'un chien le long de sa jambe.
Toutefois, quand je lui parlais du « château
hanté », elle ne doutait pas qu'il ne s'agît de
la maison où elle vivait enfermée, et, dès qu'elle

y songeait, la terreur l'écartait de moi comme si quelque fantôme avait surgi dans l'obscurité. Je la regardai avec inquiétude, et comme j'avais dès cette époque un visage dur, je lui fis peur moi-même. Elle me demanda presque au même instant de la protéger *quand le Cardinal reviendrait.*

Nous étions étendus au clair de lune à la lisière d'un bois, désireux de nous reposer un instant à mi-chemin, et surtout nous voulions regarder et embrasser Marcelle.

— Qui est le Cardinal ? demanda Simone.

— Celui qui m'a mise dans l'armoire, dit Marcelle.

— Pourquoi le Cardinal ? criai-je.

Elle répondit presque aussitôt :

— Parce qu'il est curé de la guillotine.

Je me rappelai la peur qu'elle avait eue quand j'ouvris l'armoire; j'avais sur la tête un bonnet phrygien, accessoire de cotillon d'un rouge criard. J'étais de plus couvert du sang des coupures d'une jeune fille que j'avais baisée.

Ainsi le « Cardinal, curé de la guillotine » se confondait dans l'effroi de Marcelle avec le bourreau souillé de sang, coiffé du bonnet phrygien; une étrange coïncidence de piété et d'horreur des prêtres expliquait cette confusion, qui demeure liée pour moi aussi bien à ma dureté indéniable qu'à l'angoisse que m'inspire continuellement la nécessité de mes actes.

LES YEUX OUVERTS
DE LA MORTE

Je restai sur le moment désemparé par cette
découverte. Simone elle-même était désem-
parée. Marcelle s'endormit à moitié dans mes
bras. Nous ne savions que faire. Sa jupe relevée
laissait voir la fourrure entre les rubans rouges
au bout des cuisses longues. Cette nudité silencieuse, inerte, nous communiquait une sorte
d'extase : un souffle aurait dû nous changer
en lumière. Nous ne bougions plus, désireux
que cette inertie durât et que Marcelle s'endor-
mît tout à fait.

Un éblouissement intérieur m'épuisait et je ne sais comment les choses auraient tourné si, tout à coup, Simone ne s'était agitée doucement; elle ouvrit les cuisses, les ouvrit à la fin tant qu'elle put et me dit, d'une voix blanche, qu'elle ne pouvait se retenir davantage; elle inonda sa robe en frémissant; le foutre, au même instant, jaillit dans ma culotte.

Je m'allongeai alors dans l'herbe, le crâne reposant sur une pierre plate et les yeux ouverts sur la Voie lactée, étrange trouée de sperme astral et d'urine céleste à travers la voûte crânienne des constellations : cette fêlure ouverte au sommet du ciel, apparemment formée de vapeurs ammoniacales devenues brillantes dans l'immensité — dans l'espace vide où elles se déchirent comme un cri de coq en plein silence — un œuf, un œil crevé ou mon crâne ébloui, collé à la pierre, en renvoyaient à l'infini les images symétriques. Ecœurant, l'absurde cri du coq coïncidait avec ma vie : c'est-à-dire maintenant le Cardinal, à cause de la fêlure, de la couleur rouge, des cris discordants qu'il avait provoqués dans l'armoire, et aussi parce qu'on égorge les coqs...

A d'autres l'univers paraît honnête. Il semble honnête aux honnêtes gens parce qu'ils ont des yeux châtrés. C'est pourquoi ils craignent l'obscénité. Ils n'éprouvent aucune angoisse s'ils entendent le cri du coq ou s'ils découvrent le ciel étoilé. En général, on goûte les « plaisirs de la chair » à la condition qu'ils soient fades.

Mais, dès lors, il n'était plus de doute : je n'aimais pas ce qu'on nomme « les plaisirs de la chair »; en effet parce qu'ils sont fades. J'aimais ce que l'on tient pour « sale ». Je n'étais nullement satisfait, au contraire, par la débauche habituelle, parce qu'elle salit seulement la débauche et, de toute façon, laisse intacte une essence élevée et parfaitement pure. La débauche que je connais souille non seulement mon corps et mes pensées mais tout ce que j'imagine devant elle et surtout l'univers étoilé...

J'associe la lune au sang des mères, aux menstrues à l'odeur écœurantes.

J'ai aimé Marcelle sans la pleurer. Si elle est morte, c'est par ma faute. Si j'ai des cauchemars, s'il m'arrive, des heures durant, de m'enfermer dans une cave parce que je pense à Marcelle, je suis prêt à recommencer néanmoins, par exemple, à lui plonger, la tête en bas, les cheveux dans la cuvette des cabinets. Mais elle est morte et je vis réduit aux événements qui me rapprochent d'elle au moment où je m'y attends le moins. Il m'est impossible sans cela de percevoir quelque rapport entre la morte et moi, ce qui fait de la plupart de mes journées un inévitable ennui.

Je me bornerai maintenant à raconter

comment Marcelle se pendit : elle reconnut
l'armoire normande et claqua des dents. Elle
comprit alors en me regardant que j'étais le
Cardinal. Comme elle hurlait, il n'y eut d'autre
moyen de l'arrêter que de la laisser seule.
Quand nous rentrâmes dans la chambre, elle
s'était pendue à l'intérieur de l'armoire.

Je coupai la corde, elle était bien morte.
Nous l'installâmes sur le tapis. Simone me vit
bander et me branla ; nous nous étendîmes par
terre et je la baisai à côté du cadavre. Simone
était vierge et cela nous fit mal, mais nous
étions contents justement d'avoir mal. Quand
Simone se releva et regarda le corps, Marcelle
était une étrangère et Simone elle-même l'était
pour moi. Je n'aimais ni Simone ni Marcelle et
si l'on m'avait dit que je venais moi-même de
mourir, je n'aurais pas été surpris. Ces événements m'étaient fermés. Je regardais Simone
et ce qui me plut, je m'en souviens précisément,
est qu'elle commença de se mal conduire. Le
cadavre l'irrita. Elle ne pouvait supporter que
cet être de même forme qu'elle ne la sentît
plus. Surtout les yeux ouverts la crispaient.
Elle inonda le visage calme, il sembla surprenant que les yeux ne se fermassent pas. Nous
étions calmes *tous les trois*, c'était le plus désespérant. Toute représentation de l'ennui de lie
pour moi à ce moment et au comique obstacle
qu'est la mort. Cela ne m'empêche pas d'y
penser sans révolte et même avec un sentiment

de complicité. Au fond, l'abscence d'exaltation rendit les choses absurdes ; Marcelle morte était moins éloignée de moi que vivante, dans la mesure où comme je pense, l être absurde a tous les droits.

Que Simone ait pissé sur elle, par ennui, par irritation montre à quel point nous étions fermés à la compréhension de la mort. Simone était furieuse, angoissée, mais nullement portée au respect. Marcelle nous appartenait à tel point dans notre isolement que nous n'avons pas vu en elle une morte comme les autres. Marcelle n'était pas réductible aux mesures des autres. Les impulsions contraires qui disposèrent de nous ce jour-là se neutralisaient, nous laissant aveugles. Elles nous situaient bien loin dans un monde où les gestes sont sans portée, comme des voix dans un espace, qui n'est pas sonore.

ANIMAUX OBSCENES

Pour éviter l'ennui d'une enquête, nous décidâmes de gagner l'Espagne. Simone comptait sur le secours d'un richissime Anglais, qui lui avait proposé de l'enlever et de l'entretenir.

Nous quittâmes la villa dans la nuit. Il était facile de voler une barque et d'atterrir en un point désert de la côte espagnole.

Simone me laissa dans un bois pour aller à Saint-Sébastien. Elle revint à la nuit tombante, conduisant une belle voiture.

Simone me dit de Sir Edmond que nous le

retrouverions à Madrid, qu'il lui avait toute la
journée posé sur la mort de Marcelle les ques-
tions les plus minutieuses, l'obligeant même à
faire des plans et des croquis. Il envoya pour
finir un domestique acheter un mannequin à
perruque blonde. Simone dut pisser sur la
figure du mannequin étendu les yeux ouverts
dans la position de Marcelle. Sir Edmond
n'avait pas touché la jeune fille.

Simone, après le suicide de Marcelle, changea profondément. Elle ne fixait que le vague,
on aurait cru qu'elle était d'un autre monde.
Il semblait que tout l'ennuyât. Elle ne demeurait liée à cette vie que par des orgasmes rares,
mais beaucoup plus violents qu'auparavant. Ils
ne différaient pas moins des joies habituelles
que le rire des sauvages, par exemple, ne diffère
de celui des civilisés.

Simone ouvrait d'abord des yeux las sur
quelque scène obscène et triste...

Un jour, Sir Edmond fit jeter et enfermer
dans une bauge à porcs basse, étroite et sans
fenêtres, une petite et délicieuse belle-de-nuit
de Madrid; elle s'abattit en chemise-culotte
dans la mare à purin, sous le ventre des truies.
Simone se fit longuement baiser par moi dans
la boue, devant la porte, tandis que Sir Edmond
se branlait.

La jeune fille m'échappa en râlant, saisit
son cul à deux mains, cognant contre le sol sa
tête violemment renversée; elle se tendit ainsi

quelques secondes sans respirer, ses mains de toutes ses forces ouvraient son cul avec les ongles, elle se déchira d'un coup et se déchaîna à terre comme une volaille égorgée, se blessant dans un bruit terrible aux ferrures de la porte. Sir Edmond lui donna son poignet à mordre. Le spasme longuement continua de la révulser, le visage souillé de salive et de sang.

Elle venait toujours après ces accès se mettre dans mes bras; son cul dans mes grandes mains, elle restait sans bouger sans parler, comme une enfant, mais sombre.

Toutefois, à ces intermèdes obscènes, que Sir Edmond s'ingéniait à nous procurer, Simone continuait à préférer les corridas. Trois moments des courses la captivaient : le premier, quand la bête débouche en bolide du toril ainsi qu'un gros rat; le second, quand ses cornes plongent jusqu'au crâne dans le flanc d'une jument; le troisième, quand l'absurde jument galope à travers l'arène, rue à contre temps et lâche entre ses jambes un paquet d'entrailles aux ignobles couleurs, blanc, rose et gris nacré. Quand la vessie crevant lâchait d'un coup sur le sable une flaque d'urine de jument, ses narines tremblaient.

D'un bout à l'autre de la corrida, elle demeurait dans l'angoisse, ayant la terreur, expressive au fond d'un insurmontable désir, de voir l'un des monstrueux coups de corne qu'un taureau précipité sans cesse avec colère

frappe aveuglément dans le vide des étoffes de
couleur, jeter en l'air le torero. Il faut dire,
d'ailleurs, que si, sans long arrêt et sans fin, la
redoutable bête passe et repasse à travers la
cape, à un doigt de la ligne du corps du torero,
on éprouve le sentiment de projection totale
et répétée particulière au jeu physique de
l'amour. La proximité de la mort y est sentie
de la même façon. Ces suites de passes heu-
reuses sont rares et déchaînent dans la foule
un véritable délire, les femmes, à ces moments
pathétiques, jouissent, tant les muscles des
jambes et du bas-ventre se tendent.

A propos de corrida, Sir Edmond raconta un
jour à Simone qu'encore récemment, c'était
l'habitude d'Espagnols virils, toreros amateurs
à l'occasion, de demander au concierge de
l'arène les couilles grillées du premier taureau.
Ils les faisaient porter à leur place, c'est-à-dire
au premier rang, et les mangeaient en regardant
mourir le suivant. Simone prit à ce récit le plus
grand intérêt et comme, le dimanche suivant,
nous devions aller à la première grande corrida
de l'année, elle demanda à Sir Edmond les
couilles du premier taureau. Mais elle avait
une exigence, elle les voulait crues.

— Mais, dit Sir Edmond, qu'allez-vous faire
de couilles crues ? Vous n'allez pas les manger
crues ?

— Je les veux, devant moi, dans une assiette,
dit-elle.

L'ŒIL DE GRANERO

Le 7 mai 1922, La Rosa, Lalanda et Granero devaient toréer aux arènes de Madrid. Belmonte au Mexique, Lalanda et Granero étaient les grands matadors d'Espagne. En général, on donnait Granero pour le meilleur. A vingt ans, beau, grand, d'une aisance enfantine, il était déjà populaire. Simone s'intéressait à lui; Sir Edmond lui annonçant que l'illustre tueur dînerait avec nous le soir de la course, elle en eut une véritable joie.

Granero différait des autres matadors en ce

qu'il n'avait nullement l'apparence d'un boucher, mais d'un prince charmant, bien viril, parfaitement élancé. Le costume de matador, à cet égard, accuse une ligne droite, érigée raide et comme un jet, chaque fois qu'un taureau bondit le long du corps (il moule exactement le cul). L'étoffe d'un rouge vif, l'épée étincelante au soleil, en face du taureau mourant dont le pelage fume, ruisselant de sueur et de sang, achèvent la métamorphose et dégagent l'aspect fascinant du jeu. Tout a lieu sous le ciel torride d'Espagne, nullement coloré et dur comme on l'imagine, mais solaire et d'une luminosité éclatante — molle et trouble — irréelle parfois, tant l'éclat de la lumière et l'intensité de la chaleur évoquent la liberté des sens, exactement l'humidité molle de la chair.

Je lie cette irréalité humide de l'éclat solaire à la corrida du 7 mai. Les seuls objets que j'ai conservés avec soin sont un éventail jaune et bleu et la brochure populaire consacrée à la mort de Granero. Au cours d'un embarquement, la valise contenant ces souvenirs tomba dans la mer (un arabe l'en tira à l'aide d'une perche); ils sont en bien mauvais état, mais souillés, gondolés comme ils sonts, ils rattachent au sol, au lieu, à la date, ce qui n'est plus en moi qu'une vision de déliquescence.

Le premier taureau, dont Simone attendait les couilles, était un monstre noir dont le

débouché du toril fut si foudroyant qu'en dépit
des efforts et des cris, il éventra trois chevaux
avant qu'on eût ordonné la course. Une fois
même, il enleva cheval et cavalier comme pour
les offrir au soleil; ils retombèrent avec fracas
derrière les cornes. Au moment voulu, Granero
s'avança : prenant le taureau dans sa cape, il se
joua de sa fureur. Dans un délire d'ovations, le
jeune homme fit tourner le monstre dans la
cape; chaque fois la bête s'élevait vers lui en
une sorte de charge, il évitait d'un doigt l'horrible choc. La mort du monstre solaire s'acheva
sans heurt. L'ovation infinie commençait tandis que la victime, avec une incertitude
d'ivrogne, s'agenouillait puis se laissait tomber
les jambes en l'air en expirant.

Simone, debout entre Sir Edmond et moi —
son exaltation égale à la mienne — refusa de
s'asseoir après l'ovation. Elle me prit la main
sans mot dire et me conduisit dans une cour
extérieure de l'arène où régnait l'odeur de
l'urine. Je pris Simone par le cul tandis qu'elle
sortait ma verge en colère. Nous entrâmes ainsi
dans des chiottes puantes où des mouches mi-
nuscules souillaient un rai de soleil La jeune
fille dénudée, j'enfonçais dans sa chair baveuse
et couleur de sang ma queue rose; elle pénétra
cette caverne d'amour, tandis que je branlais
l'anus avec rage : en même temps se mêlaient
les révoltes de nos bouches.

L'orgasme du taureau n'est pas plus fort

que celui qui, nous cassant les reins, nous
entre-déchira sans que le membre reculât, la
vulve écartelée noyée de foutre.

Les battements du cœur dans nos poitrines
— brûlantes et avides d'être nues — ne s'apai-
saient pas. Simone, le cul encore heureux, moi,
la verge raide, nous revînmes au premier rang.
Mais, à la place où mon amie devait s'asseoir
reposaient sur une assiette les deux couilles
nues ; ces glandes, de la grosseur et de la forme
d'un œuf, étaient d'une blancheur nacrée, rosie
de sang, analogue à celle du globe oculaire.

— Ce sont les couilles crues, dit Sir Edmond
à Simone avec un léger accent anglais.

Simone s'était agenouillée devant l'assiette,
qui lui donnait un embarras sans précédent.
Sachant ce qu'elle voulait, ne sachant comment faire, elle parut exaspérée. Je pris
l'assiette, voulant qu'elle s'assît. Elle la retira
de mes mains, la remit sur la dalle.

Sir Edmond et moi craignions d'attirer
l'attention. La course languissait. Me penchant
à l'oreille de Simone, je lui demandai ce qu'elle
voulait :

— Idiot, répondit-elle, je veux m'asseoir nue
sur l'assiette.

— Impossible, dis-je, assieds-toi.

J'enlevai l'assiette et l'obligeai à s'asseoir.
Je la dévisageai. Je voulais qu'elle vît que
j'avais compris (je pensais à l'assiette de lait).
Dès lors, nous ne pouvions tenir en place. Ce

malaise devint tel que le calme Sir Edmond le
partagea. La course était mauvaise, les matadors inquiets faisaient face à des bêtes sans
nerfs. Simone avait voulu des places au soleil;
nous étions pris dans une buée de lumière et
de chaleur moite, desséchant les lèvres.

D'aucune façon, Simone ne pouvait relever
sa robe et poser son cul sur les couilles; elle
avait gardé l'assiette dans les mains. Je voulus
la baiser encore, avant que Granero ne revînt.
Mais elle refusa, les éventrements de chevaux,
suivis, comme elle disait, « de perte et fracas »,
c'est-à-dire d'une cataracte de boyaux, la
grisaient (il n'y avait pas encore à cette époque
de cuirasse protégeant le ventre des chevaux).

Le rayonnement solaire, à la longue, nous
absorbait dans une irréalité conforme à notre
malaise, à notre impuissant désir d'éclater,
d'être nus. Le visage grimaçant sous l'effet du
soleil, de la soif et de l'exaspération des sens,
nous partagions cette déliquescence morose
où les éléments ne s'accordent plus. Granero
revenu n'y changea rien. Le taureau méfiant,
le jeu continuait à languir.

Ce qui suivit eut lieu sans transition, et
même apparemment sans lien, non que les
choses ne fussent liées, mais je les vis comme
un absent. Je vis en peu d'instants Simone, à
mon effroi, mordre les globes, Granero
s'avancer, présenter au taureau le drap rouge;
puis Simone, le sang à la tête, en un moment

de lourde obscénité, dénuder sa vulve où entra l'autre couille; Granero renversé, acculé sous la balustrade, sur cette balustrade les cornes à la volée frappèrent trois coups : l'une des cornes enfonça l'œil droit et la tête. La clameur atterrée des arènes coïncida avec le spasme de Simone. Soulevée de la dalle de pierre, elle chancela et tomba, le soleil l'aveuglait, elle saignait du nez. Quelques hommes se précipitèrent, s'emparèrent de Granero.

La foule dans les arènes était tout entière debout. L'œil droit du cadavre pendait.

SOUS LE SOLEIL
DE SEVILLE

Deux globes de même grandeur et consis-
tance s'étaient animés de mouvements contraires et simultanés. Un testicule blanc de
taureau avait pénétré la chair « rose et noire »
de Simone; un œil était sorti de la tête du
jeune homme. Cette coïncidence liée en même
temps qu'à la mort à une sorte de liquéfaction
urinaire du ciel, un moment, me rendit Marcelle. Il me sembla, dans cet insaisissable instant, la toucher.

L'ennui habituel reprit. Simone, de mauvaise humeur, refusa de rester un jour de plus à Madrid. Elle tenait à Séville, connue comme une ville de plaisir.

Sir Edmond voulait satisfaire aux caprices de son « angélique amie ». Nous trouvâmes dans le sud une lumière, une chaleur plus déliquescente, encore, qu'à Madrid. Un excès de fleurs dans les rues finissait d'énerver les sens.

Simone allait nue, sous une robe légère, blanche, laissant voir à travers la soie la ceinture et même, en certaines positions, la fourrure. Les choses concouraient dans cette ville à faire d'elle un brûlant délice. Souvent, par les rues, je vis à son passage une queue tendre la culotte.

Nous ne cessions à peu près pas de faire l'amour. Nous évitions l'orgasme et visitions la ville. Nous quittions un endroit propice en quête d'un autre : une salle de musée, l'allée d'un jardin, l'ombre d'une église ou le soir une ruelle déserte. J'ouvrais le corps de mon amie, lui dardais ma verge dans la vulve. J'arrachais vite le membre de l'étable et nous reprenions la route au hasard. Sir Edmond nous suivait de loin et nous *surprenait*. Il s'empourprait alors sans approcher. S'il se branlait, c'était discrètement, à distance.

— C'est intéressant, nous dit-il un jour, désignant une église, celle-ci est l'église de Don Juan.

— Mais encore ? demanda Simone.

— Voulez-vous entrer seule dans l'église ? proposa Sir Edmond.

— Quelle idée ?

L'idée absurde ou non, Simone entra et nous l'attendîmes à la porte.

Quand elle revint, nous restâmes assez stupides : elle riait aux éclats, ne pouvant parler. La contagion et le soleil aidant, je me pris à rire à mon tour, et même, à la fin, Sir Edmond.

— Bloody girl ! s'écria l'Anglais, ne pouvez-vous expliquer ? Nous rions sur la tombe de Don Juan ?

Et riant de plus belle, il montra sous nos pieds une large plaque de cuivre ; elle recouvrait la tombe du fondateur de l'église, qu'on dit avoir été Don Juan. Repenti, celui-ci voulut qu'on l'enterrât sous la porte d'entrée, afin d'être foulé aux pieds des êtres les plus bas.

Nos fous rires décuplés repartirent. Simone riant pissait le long des jambes : un filet d'urine coula sur la plaque.

L'accident eut un autre effet : mouillée, l'étoffe de la robe adhérant au corps était transparente : la vulve noire était visible.

Simone à la fin se calma.

— Je rentre me sécher, dit-elle.

Nous nous trouvâmes dans une salle où nous ne vîmes rien qui justifiât le rire de Simone ; relativement fraîche, elle recevait la lumière à travers des rideaux de cretonne rouge. Le plafond était fait d'une charpente ouvragée, les murs blancs, mais ornés de statues et d'images; un autel et un dessus d'autel dorés occupaient le mur du fond jusqu'aux poutres de la charpente. Ce meuble de féerie, comme chargé des trésors de l'Inde, à force d'ornements, de volutes, de torsades, évoquait par ses ombres et l'éclat des ors les secrets parfumés d'un corps. A droite et à gauche de la porte, deux célèbres tableaux de Valdès Leal figuraient des cadavres en décomposition : dans l'orbite oculaire d'un évêque entrait un énorme rat...

L'ensemble sensuel et somptueux, les jeux d'ombre et la lumière rouge des rideaux, la fraîcheur et l'odeur des lauriers-roses, en même temps l'impudeur de Simone, m'incitaient à lâcher les chiens.

Sortant d'un confessionnal, je vis, chaussés de soie, les deux pieds d'une pénitente.

— Je veux les voir passer, dit Simone.

Elle s'assit devant moi près du confessionnal.

Je voulus lui donner ma verge dans la main, mais elle refusa, menaçant de branler jusqu'au foutre.

Je dus m'asseoir; je voyais sa fourrure sous la soie mouillée.

— Tu vas voir, me dit-elle.

Après une longue attente, une très jolie femme quitta le confessionnal, les mains jointes, les traits pâles, extasiés : la tête en arrière, les yeux blancs, elle traversa la salle à

pas lents, comme un spectre d'opéra. Je serrai
les dents pour ne pas rire. A ce moment, la
porte du confessionnal s'ouvrit.

Il en sortit un prêtre blond, jeune encore et
très beau, les joues maigres et les yeux pâles
d'un saint. Il demeurait les mains croisées sur
le seuil de l'armoire, le regard élevé vers un
point du plafond : comme si quelque céleste
vision allait l'arracher du sol.

Il aurait sans doute, à son tour, disparu,
mais Simone, à ma stupéfaction, l'arrêta. Elle
salua le visionnaire et demanda la confession...

Impassible et glissant dans l'extase en lui-
même, le prêtre indiqua l'emplacement de la
pénitente : un prie-dieu sous un rideau; puis,
rentrant sans mot dire dans l'armoire il referma
la porte sur lui.

LA CONFESSION DE SIMONE
ET LA MESSE
DE SIR EDMOND

L'on imagine aisément ma stupeur. Simone,
sous le rideau, s'agenouilla. Tandis qu'elle
chuchotait, j'attendais avec impatience les
effets de cette diablerie. L'être sordide, me
représentais-je, jaillirait de sa boîte, se préci-
piterait sur l'impie. Rien de semblable n'arriva.
Simone, à la petite fenêtre grillée, parlait sans
finir à voix basse.

j'échangeais avec Sir Edmond des regards
chargés d'interrogations quand les choses à la
fin s'éclaircirent. Simone, peu à peu, se

touchait la cuisse, écartait les jambes. Elle
s'agitait, gardant un seul genou sur le prie-dieu.
Elle releva tout à fait sa robe en continuant
ses aveux. Et même, il me sembla qu'elle se
branlait.

J'avançai sur la pointe des pieds.

Simone, en effet, se branlait, collée à la
grille, à côté du prêtre, le corps tendu, cuisses
écartées, les doigts fouillant la fourrure. Je
pouvais la toucher, ma main dans les fesses
atteignit le trou. A ce moment, j'entendis clai-
rement prononcer :

— Mon père, je n'ai pas dit le plus coupable.

Un silence suivit.

— Le plus coupable, mon père, est que je
me branle en vous parlant.

Quelques secondes, cette fois, de chucho-
tement. Enfin presque à voix haute :

— Si tu ne crois pas, je peux montrer.

Et Simone se leva, s'ouvrit sous l'œil de la
guérite se branlant, se pâmant, d'une main sûre
et rapide.

— Eh bien, curé, cria Simone en frappant
de grands coups dans l'armoire, qu'est-ce que
tu fais dans ta baraque ? Est-ce que tu te
branles, toi aussi ?

Mais le confessionnal restait muet.

— Alors j'ouvre.

A l'intérieur, le visionnaire assis, la tête
basse, épongeait un front dégouttant de sueur.
La jeune fille fouilla la soutane : il ne broncha

pas. Elle retroussa l'immonde jupe noire et sortit une longue verge rose et dure : il ne fit que rejeter la tête en arrière, avec une grimace et un sifflement des dents. Il laissa faire Simone qui prit la bestialité dans sa bouche.

Nous étions demeurés, Sir Edmond et moi, frappés de stupeur, immobiles. L'admiration me clouait sur place. Je n'imaginais que faire quand l'énigmatique Anglais s'approcha. Il écarta délicatement Simone. Puis, la saisissant au poignet, il arracha la larve du trou, l'étendit sur les dalles à nos pieds : l'ignoble individu gisait comme un mort et sa bouche bava sur le sol. L'Anglais et moi le portâmes à bras d'homme dans la sacristie.

Débraguetté, la queue pendante, le visage livide, il ne résistait pas, mais respirait péniblement; nous le juchâmes sur un fauteuil de forme architecturale.

— Senores, prononçait le misérable, vous croyez que je suis un hypocrite !

— Non, dit Sir Edmond, d'un ton catégorique.

Simone lui demanda :

— Comment t'appelles-tu ?

— Don Aminado, répondit-il.

Simone gifla la charogne sacerdotale. La charogne à ce coup rebanda. Elle fut déshabillée; sur les vêtements, à terre, Simone accroupie pissa comme une chienne. Simone ensuite branla le prêtre et le suça. J'enculai Simone.

Sir Edmond contemplait la scène avec un visage caractéristique de *hard labour*. Il inspecta la salle où nous étions réfugiés. Il vit à un clou une petite clé.

— Qu'est-ce que cette clé ? demanda-t-il à Don Aminado.

A l'angoisse contractant le visage du prêtre, il reconnut la clé du tabernacle.

Peu d'instants après, l'Anglais revint, porteur d'un ciboire décoré d'angelots nus comme des amours.

Don Aminado regardait fixement ce récipient de Dieu posé par terre; son beau visage idiot, que révulsaient les coups de dents dont Simone agaçait sa queue, apparut tout à fait hagard.

L'Anglais avait barricadé la porte. Fouillant dans les armoires, il y trouva un grand calice. Il nous pria pour un instant d'abandonner le misérable.

— Tu vois, dit-il à Simone, ces hosties dans leur ciboire et maintenant le calice où l'on met le vin.

— Ça sent le foutre, dit-elle, flairant les pains azymes.

— Justement, continua l'Anglais, ces hosties que tu vois sont le sperme du Christ en forme de petit gâteau. Et, pour le vin, les ecclésiastiques disent que c'est le *sang*. Ils nous trompent. Si c'était vraiment le sang, ils boiraient du vin rouge, mais ils boivent du vin blanc, sachant bien que c'est l'urine.

Cette démonstration était convaincante. Simone s'arma du calice et je m'emparai du ciboire : Don Aminado, dans son fauteuil, agité d'un léger tremblement.

Simone lui assena d'abord sur le crâne un grand coup de pied de calice qui l'ébranla mais acheva de l'abrutir. Elle le suça de nouveau. Il eut d'ignobles râles. Elle l'amena au comble de la rage des sens, puis :

— Ça n'est pas tout, fit-elle, il faut pisser.

Elle le frappa une seconde fois au visage.

Elle se dénuda devant lui et je la branlai.

Le regard de l'Anglais était si dur, fixé dans les yeux du jeune abruti, que la chose eut lieu sans difficulté. Don Aminado emplit bruyamment d'urine le calice maintenu par Simone sous la verge.

— Et maintenant, bois, dit Sir Edmond.

Le misérable but dans une extase immonde.

De nouveau Simone le suça; il cria tragiquement de plaisir. D'un geste de dément, il envoya le vase de nuit sacré se fêler contre un mur. Quatre robustes bras le saisirent et jambes ouvertes, corps brisé, criant comme un porc, il cracha son foutre dans les hosties, Simone le branlant, maintenait le ciboire sous lui.

LES PATTES DE MOUCHE

Nous laissâmes tomber la charogne. Elle
s'abattit sur les dalles avec fracas. Nous
étions animés par une détermination évidente,
accompagnée d'exaltation. Le prêtre débandait. Il gisait, dents collées au sol, abattu
par la honte. Il avait les couilles vides et
son crime le décomposait. On l'entendit
gémir :

— Misérables sacrilèges...

Et d'autres plaintes bégayées.

Sir Edmond le poussa du pied; le monstre

eut un sursaut, cria de rage. Il était risible et
nous éclatâmes.

— Lève-toi, ordonna Sir Edmond, tu vas
baiser la *girl*.

— Misérables, menaça la voix étranglée du
prêtre, la justice espagnole... le bagne... le
garrot...

— Il oublie que c'est son foutre, observa Sir
Edmond.

Une grimace, un tremblement de bête
répondirent, puis :

— ... le garrot... aussi pour moi... mais *pour
vous*... d'abord...

— Idiot, ricana l'Anglais, *d'abord !* Croirais-
tu donc attendre ?

L'imbécile regarda Sir Edmond; son beau
visage exprima une extrême niaiserie. Une joie
étrange lui ouvrit la bouche; il croisa les mains,
jeta vers le ciel un regard extasié. Il murmura
alors, la voix faible, mourante :

— ... le martyre...

Un espoir de salut venait au misérable : ses
yeux parurent illuminés.

— Je vais premièrement te dire une histoire,
dit Sir Edmond. Tu sais que les pendus ou les
garrottés bandent si fort, au moment de l'étranglement, qu'ils éjaculent. Tu seras donc mar-
tyrisé, mais en baisant.

Le prêtre épouvanté se redressa, mais l'Anglais lui tordant un bras le jeta sur les dalles.

Sir Edmond lui lia les bras par-derrière. Je

lui mis un bâillon et ficelai ses jambes avec ma ceinture. Etendu lui-même à terre, l'Anglais lui tint les bras dans l'étau de ses mains. Il immobilisa les jambes en les entourant des siennes. Agenouillé, je maintenais la tête entre les cuisses.

L'Anglais dit à Simone :

— Maintenant, monte à cheval sur ce rat d'église.

Simone retira sa robe. Elle s'assit sur le ventre du martyr, le cul près de sa verge molle.

L'Anglais continua, parlant de sous le corps de la victime :

— Maintenant, serre la gorge, un tuyau juste en arrière de la pomme d'Adam : une forte pression graduelle.

Simone serra : un tremblement crispa ce corps immobilisé, et la verge se leva. Je la pris dans mes mains et l'introduisis dans la chair de Simone. Elle continua de serrer la gorge.

Violemment, la jeune fille, ivre jusqu'au sang, fit aller et venir la queue raide dans sa vulve. Les muscles du curé se tendirent.

Elle serra enfin si résolument qu'un plus violent frisson fit trembler ce mourant : elle sentit le foutre inonder son cul. Elle lâcha prise alors, abattue, renversée dans un orage de joie.

Simone demeurait sur les dalles, ventre en l'air et la cuisse dégouttant du sperme du mort Je m'allongeai pour la foutre à mon tour.

J'étais paralysé. Un excès d'amour et la mort du misérable m'épuisaient. Je n'ai jamais été aussi content. Je me bornai à baiser la bouche de Simone.

La jeune fille eut envie de voir son œuvre et m'écarta pour se lever. Elle remonta cul nu sur le cadavre nu. Elle examina le visage, épongea la sueur du front. Une mouche, bourdonnant dans un rai de soleil, revenait sans fin se poser sur le mort. Elle la chassa mais, soudain, poussa un léger cri. Il arrivait ceci d'étrange : posée sur l'œil du mort, la mouche se déplaçait doucement sur le globe vitreux. Se prenant la tête à deux mains, Simone la secoua en frissonnant. Je la vis plongée dans un abîme de pensées.

Si bizarre que cela semble, nous n'avions cure de la façon dont la chose aurait pu finir. Si quelque gêneur était survenu, nous ne l'aurions pas laissé longtemps s'indigner... Il n'importe. Simone, se dégageant de son hébétude, se leva, rejoignit Sir Edmond, qui s'était adossé au mur. On entendait voler la mouche.

— Sir Edmond, dit Simone, collant sa joue à son épaule, ferez-vous comme je veux ?

— Je le ferai... probablement, lui dit l'Anglais.

Elle me fit venir à côté du mort et, s'agenouillant, écarta les paupières, ouvrit largement l'œil à la surface duquel s'était posée la mouche.

— Tu vois l'œil ?

— Eh bien ?

— C'est un œuf, dit-elle en toute simplicité.

J'insistai, troublé :

— Où veux-tu en venir ?

— Je veux m'amuser avec.

— Mais encore ?

Se levant, elle parut congestionnée (elle était alors terriblement nue).

— Ecoutez, Sir Emond, dit-elle, il faut me donner l'œil tout de suite, arrachez-le.

Sir Edmond ne tressaillit pas mais prit dans un portefeuille une paire de ciseaux, s'agenouilla et découpa les chairs puis il enfonça les doigts dans l'orbite et tira l'œil, coupant les ligaments tendus. Il mit le petit globe blanc dans la main de mon amie.

Elle regarda l'extravagance, visiblement gênée, mais n'eut pas d'hésitation. Se caressant les jambes, elle y glissa l'œil. La caresse de l'œil sur la peau est d'une excessive douceur... avec un horrible côté cri de coq.

Simone cependant s'amusait, glissait l'œil dans la fente des fesses. Elle s'étendit, releva les jambes et le cul. Elle tenta d'immobiliser le globe en serrant les fesses, mais il en jaillit — comme un noyau des doigts — et tomba sur le ventre du mort.

L'Anglais m'avait déshabillé.

Je me jetai sur la jeune fille et sa vulve engloutit ma queue. Je la baisai :

l'Anglais fit rouler l'œil entre nos corps.

— Mettez-le moi dans le cul, cria Simone.

Sir Edmond mit le globe dans la fente et poussa.

A la fin, Simone me quitta, prit l'œil des mains de Sir Edmond et l'introduisit dans sa chair. Elle m'attira à ce moment, embrassa l'intérieur de ma bouche avec tant de feu que l'orgasme me vint : je crachai mon foutre dans sa fourrure.

Me levant, j'écartai les cuisses de Simone : elle gisait étendue sur le côté; je me trouvai alors en face de ce que — j'imagine — j'attendais depuis toujours — comme une guillotine attend la tête à trancher. Mes yeux, me semblait-il, étaient érectiles à force d'horreur; je vis, dans le vulve velue de *Simone*, l'œil bleu pâle de *Marcelle* me regarder en pleurant des larmes d'urine. Des traînées de foutre dans le poil fumant achevaient de donner à cette vision un caractère de tristesse douloureuse. Je maintenais les cuisses de Simone ouvertes : l'urine brûlante ruisselait sous l'œil sur la cuisse la plus basse...

Sir Edmond et moi, décorés de barbes noires, Simone coiffée d'un risible chapeau de soie noire à fleurs jaunes. nous quittâmes Séville dans une voiture de louage. Nous changions nos personnages à l'entrée d'une nouvelle ville. Nous traversâmes Ronda vêtus en curés espagnols, portant chapeau de feutre noir velu, drapant nos capes et fumant virilement de gros cigares ; Simone en costume de séminariste, aussi angélique que jamais.

Nous disparûmes ainsi sans fin de l'Andalousie, pays jaune de terre et de ciel, infini vase de nuit noyé de lumière, où, chaque jour, nouveau personnage, je violais une nouvelle Simone et surtout vers midi, sur le sol, au soleil, et sous les yeux rouges de sir Edmond.

Le quatrième jour, l'Anglais acheta un yacht à Gibraltar.

Réminiscences

Feuilletant un jour un magazine américain, deux photographies m'arrêtèrent. La première était celle d'une rue d'un village perdu d'où sort ma famille. La seconde, les ruines d'un château fort voisin. A ces ruines, situées dans la montagne en haut d'un rocher, se lie un épisode de ma vie. A vingt et un ans, je passais l'été dans la maison de ma famille. Un jour, l'idée me vint d'aller la nuit dans ces ruines. De chastes jeunes filles et ma mère me suivirent (j'aimais l'une des jeunes filles, elle partageait cet amour, mais nous n'avions jamais parlé : elle était des plus dévotes et, craignant que Dieu ne l'appelle, elle voulait méditer encore). Cette nuit était sombre. Nous arrivâmes après une heure de marche. Nous gravissions les

pentes escarpées que surplombent les murailles
du château lorsqu'un fantôme blanc et lumineux nous barra le passage, sortant d'une an-
fractuosité des rochers. Une des jeunes filles
et ma mère tombèrent à la renverse. Les autres
poussèrent des cris. Assuré dès l'abord, de la
comédie, je fus pris néanmoins d'une indéniable terreur. Je marchai vers l'apparition, lui
criant de cesser la plaisanterie, mais la gorge
serrée. L'apparition se dissipa : je vis filer mon
frère aîné, qui, d'accord avec un ami, nous
avait précédés à bicyclette et nous avait fait
peur, enveloppé d'un drap, sous la lumière
soudain démasquée d'une lampe à acétylène :
le décor s'y prêtait et la mise en scène était
parfaite.

Le jour où je parcourus le magazine, je
venais d'écrire l'épisode du drap. Je voyais le
drap sur la gauche et de même le fantôme
apparut sur la gauche du château. Les deux
images étaient superposables.

Je devais m'étonner davantage.

J'imaginais, dès lors, dans ses détails, la
scène de l'église, en particulier l'arrachement
d'un œil. M'avisant d'un rapport de la scène à
ma vie réelle, je l'associai au récit d'une corrida
célèbre, à laquelle effectivement j'assistai — la
date et les noms sont exacts, Hemingway dans
les livres y fait à plusieurs reprises allusion —
je ne fis tout d'abord aucun rapprochement,
mais racontant la mort de Granero, je restai

finalement confondu. L'arrachement de l'œil n'était pas une invention libre mais la transposition sur un personnage inventé d'une blessure précise reçue sous mes yeux par un homme réel (au cours du seul accident mortel que j'aie vu). Ainsi les deux images les plus voyantes dont ma mémoire ait gardé la trace en sortaient sous une forme méconnaissable, dès l'instant où j'avais recherché l'obsénité la plus grande.

J'avais fait ce deuxième rapprochement, je venais d'achever le récit de la corrida : j'en lus à un médecin de mes amis une version différente de celle du livre. Je n'avais jamais vu les testicules dépouillés d'un taureau. Je les représentais d'abord d'un rouge vif analogue à celui du vit. Ces testicules, à ce moment, me paraissaient étrangers à l'association de l'*œil* et de l'*œuf*. Mon ami me montra mon erreur. Nous ouvrîmes un traité d'anatomie, où je vis que les testicules des animaux et des hommes sont de forme ovoïde et qu'ils ont l'aspect et la couleur du globe oculaire.

Des souvenirs d'une autre nature s'associent d'ailleurs aux images de mes obsessions.

Je suis né d'un père syphilitique (tabétique). Il devint aveugle (il l'était quand il me conçut) et, quand j'eus deux ou trois ans, la même maladie le paralysa. Jeune enfant j'adorais ce père. Or la paralysie et la cécité avaient ces conséquences entre autres : il ne pouvait comme nous aller pisser aux lieux d'aisance; il pissait de son fauteuil, il avait un récipient pour le faire. Il pissait devant moi, sous une couverture qu'aveugle il disposait mal. Le plus gênant d'ailleurs était la façon dont il regardait. Ne voyant nullement, sa prunelle, dans la nuit, se perdait en haut sous la paupière : ce mouvement se produisait d'ordinaire au moment de la mixtion. Il avait de grands yeux très ouverts, dans un visage émacié, taillé en bec d'aigle. Généralement, s'il urinait, ces yeux devenaient presque blancs; ils avaient alors une expression d'égarement; ils n'avaient pour objet qu'un monde que lui seul pouvait voir et dont la vision lui donnait un rire absent. Or c'est l'image de ces *yeux* blancs que je lie à celle des *œufs*; quand, au cours du récit, si je parle de l'*œil* ou des *œufs,* l'urine apparaît d'habitude.

Apercevant ces divers rapports, j'en crois découvrir un nouveau liant l'essentiel du récit (pris dans l'ensemble) à l'événement le plus chargé de mon enfance.

A la puberté, mon affection pour mon père se changea en une inconsciente aversion. Je souffris moins des cris que lui arrachaient sans fin les douleurs fulgurantes du tabès (que les médecins comptent au nombre des plus cruelles). L'état de malodorante saleté auquel le réduisaient ses infirmités (il arrivait qu'il se conchie) ne m'était pas alors aussi pénible. En

chaque chose j'adoptai l'attitude ou l'opinion
contraire à la sienne:

Une nuit, ma mère et moi fûmes éveillés
par un discours que l'infirme hurlait dans sa
chambre : il était subitement devenu fou. Le
médecin, que j'allai chercher, vint très vite.
Dans son éloquence, mon père imaginait les
événements les plus heureux. Le médecin retiré
dans la chambre voisine avec ma mère, le
dément s'écria d'une voix de stentor :

— DIS DONC, DOCTEUR, QUAND TU
AURAS FINI DE PINER MA FEMME !

Il riait. Cette phrase, ruinant l'effet d'une
éducation sévère, me laissa, dans une affreuse
hilarité, la constante obligation inconsciem-
ment subie de trvouver dans ma vie et mes
pensées ses équivalences. Ceci peut-être éclaire
« l'histoire de l'œil ».

J'achève enfin d'énumérer ces sommets de
mes déchirements personnels.

Je ne pouvais identifier Marcelle à ma mère.
Marcelle est l'inconnue de quatorze ans, un
jour assise au café, devant moi. Néanmoins...

Quelques semaines après l'accès de folie de
mon père, ma mère, à l'issue d'une scène
odieuse que lui fit devant moi ma grand-mère,
perdit à son tour la raison. Elle passa par une
longue période de mélancolie. Les idées de
damnation qui la dominèrent alors m'irritaient
d'autant plus que je fus obligé d'exercer sur
elle une continuelle surveillance. Son délire

m'effrayait à ce point qu'une nuit j'ôtai de la
cheminée deux lourds candélabres au socle de
marbre : j'avais peur qu'elle ne m'assomât
durant mon sommeil. J'en vins à la frapper, à
bout de patience, lui tordant les mains dans
mon désespoir, voulant l'obliger à raisonner
juste.

Ma mère disparut un jour, profitant d'un
instant où j'avais le dos tourné. Nous l'avons
cherchée longtemps; mon frère, à temps, la
retrouva pendue au grenier. Il est vrai qu'elle
revint à la vie toutefois.

Elle disparut, une autre fois : je dus la chercher sans fin le long du ruisseau où elle aurait
pu se noyer. Je traversai des marécages en
courant. Je me trouvai, finalement, dans un
chemin, devant elle : elle était mouillée jusqu'à
la ceinture, sa jupe pissait l'eau du ruisseau.
Elle était d'elle-même sortie de l'eau glacée du
ruisseau (c'était en plein hiver), trop peu profonde à cet endroit pour la noyer.

Ces souvenirs, d'habitude, ne m'attardent
pas. Ils ont, après de longues années, perdu le
pouvoir de m'atteindre : le temps les a neutra-
lisés. Ils ne purent retrouver la vie que défor-
més, méconnaissables, ayant, au cours de la
déformation, revêtu un sens obscène.

*Plan d'une suite
de l'*Histoire
de l'œil

Après quinze ans de débauches de plus en plus graves Simone aboutit dans un camp de torture. Mais par erreur; récits de supplice, larmes, imbécillité du malheur, Simone à la limite d'une conversion, exhortée par une femme exsangue, prolongeant les dévots de l'Eglise de Séville. Elle est alors âgée de 35 ans. Belle à l'entrée au camp, la vieillesse l'atteint par degrés d'atteintes irrémédiables. Belle scène avec un bourreau femelle et la dévote : la dévote et Simone battues à mort, Simone échappe à la tentation. Elle meurt comme on fait l'amour, mais dans la pureté (chaste) et l'*imbécillité* de la mort : la fièvre et l'agonie la transfigurent. Le bourreau la frappe, elle est indifférente aux coups, indifférente aux paroles de la dévote, perdue dans le travail de l'agonie. Ce n'est nullement une joie érotique c'est beaucoup plus. Mais sans issue. Ce n'est pas non plus masochiste et, profondément, cette exaltation est plus grande que l'imagination ne peut la représenter, elle dépasse tout. Mais c'est la solitude et l'absence de sens qui la fondent.

TABLE

Note de l'éditeur...................... 9
Préface 11
Note de la préface.................... 21
Madame Edwarda 25
Le Mort........................... 57
Histoire de l'œil.................... 87
    L'œil de chat 89
    L'armoire normande 97
    L'odeur de Marcelle. 103
    Une tache de soleil 109
    Un filet de sang.................. 117
    Simone 123
    Marcelle......................... 129
    Les yeux de la morte.............. 135
    Animaux obscènes................. 141
    L'œil de Granero.................. 145
    Sous le soleil de Séville 151
    La confession de Simone
    et la messe de Sir Edmond......... 157
    Les pattes de mouche 163
Réminiscences....................... 171
Plan d'une suite de l'*Histoire de l'œil*.... 179

Achevé d'imprimer en mai 1991
sur les presses de l'Imprimerie Bussière
à Saint-Amand (Cher)

— N° d'édit. 949. — N° d'imp. 1552. —
Dépôt légal : 4ᵉ trimestre 1979.

Imprimé en France

Nouveau tirage : mai 1991.